The plot to destruction,
that Kenji made up when he was just a boy...
Bacteriological attacks against San Francisco and London,
turn real within the "Friend"'s hands. What will happen next?
The only person who knows…… The only person who can save
the world…… is Kenji...
Firing up his guitar, and making up his mind to stand up,
Kenji, alone, goes to the concert hall
where the "Friend" awaits.

登場少年紹介
20th Century Boys Profile
地球を滅亡へ導く“ともだち”の計画は、
子供の時の他愛ない空想から始まっていた…
邪悪な企みを阻止し、地球を救えるのは、
すべてを考えた、ケンヂしかいない!
●同じ町内に住むケンヂの親友。大食漢である。
マルオ
マルオ少年時代▶
チヨ
●ケンヂと一緒にコンビニを切り盛りする母親。
◀ケンヂ少年時代
ケンヂ
●かつてミュージシャンを志した、コンビニの店長。子供の頃、悪の組織から地球を守る空想をしていた本編の主人公。
▼ユキジ少女時代
ユキジ
●税関職員として、麻薬犬ブルー・スリーと成田空港で麻薬捜査に従事。少女時代は最強だった。
●ケンヂの姉・キリコの娘。ケンヂの手で育てられている。父親が誰かは、わからない。
カンナ

●地球滅亡の話を、ケンヂと一緒に考えた少年。その後、商社マンになり、海外で消息を絶った。
オッチョ
◀オッチョ少年時代
●気が弱く目立たないケンヂの親友。現在サラリーマン。
ヨシツネ
ヨシツネ少年時代▶
20th Century Boys
●謎の組織を率いるカリスマ。細菌をサンフランシスコにばらまいた。ケンヂのクラスメートらしいのだが……
ともだち
万丈目胤舟（まんじょうめいんしゅう）
●"ともだち"に付き従い、計画を実行していく、組織の幹部。
神様
●ホームレスのリーダー。未来のことを予知する能力を持つ。
ショーグン
●本名、年齢、国籍、すべてが謎の男。その正体は？
キリコ
●ケンヂの姉。カンナを実家に預けて、行方不明に。

目次

NAOKI URASAWA PRESENTS

20th Century Boys

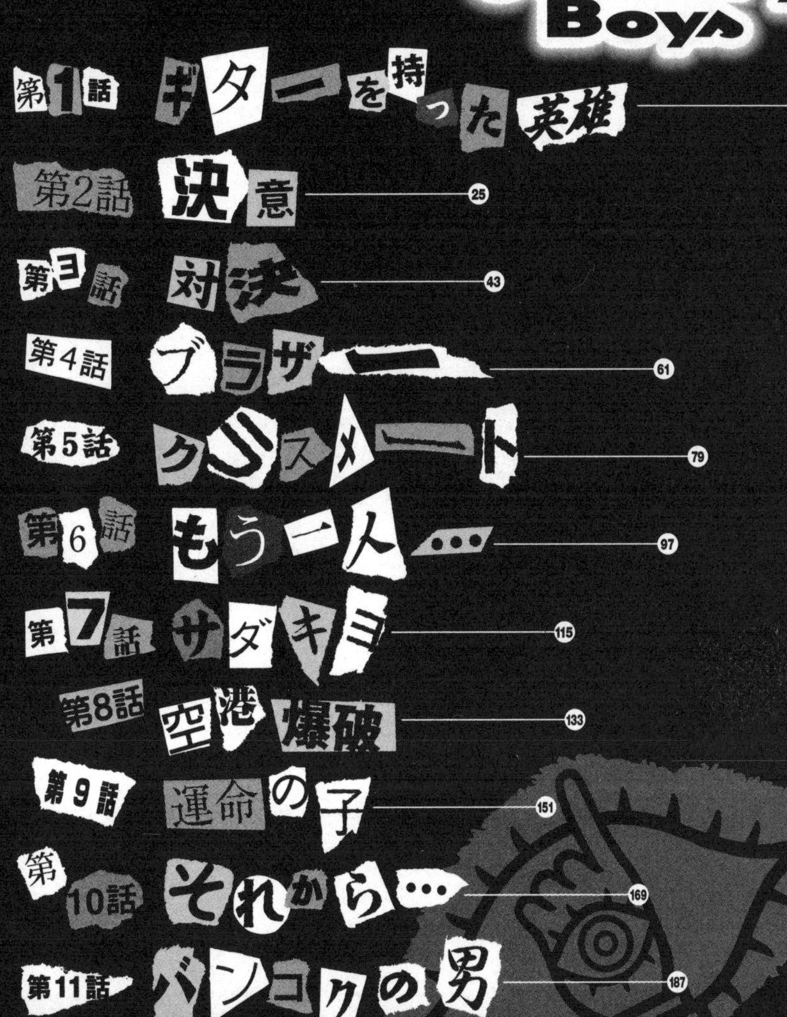

ドボオン!

うわわ!そんな勢いよく落とすなよ。
誰かに見られてないよな。

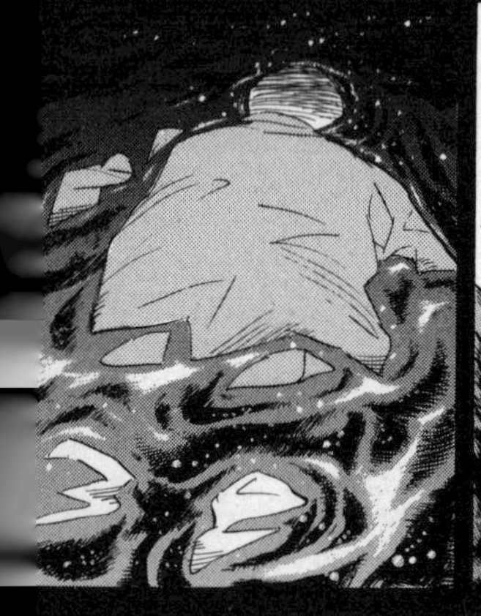

うまく流れて行けよお。
三途の川にしちゃ汚えけどよ。

……で、どうするんだい兄ちゃん。

とりあえず拝んどこ。
成仏しろよ。アーメン……
バケて出ませんように。

あんたにいろいろ知らせるために、奴は命がけで脱走してきたみたいだがね……

放っといた方がいいって。
あいつ、警察にも行っちゃダメだって言ってたぜ。

俺もやめといた方がいいと思うね。

あんたの幼なじみが、その手紙であんたに何を託したのか知らないがね。

ドンキー……

あんたが何しようと、どうにかなる相手じゃないと思うがね。

HAW
どうする?

どうするんだい?

A!!

あ。

逃げちゃったよ。
そりゃそうだ。ドンキーって奴、殺されちゃったんだもんな。
おっかないよなやっぱり。

でも……俺の夢によると……
HAW

ヒイ
ヒイ

あの
うだつの
上がらない
兄ちゃんが……

ヒイ
ヒイ
俺……

子供の頃
おまえが考えた
筋書きなんだろ？

俺……

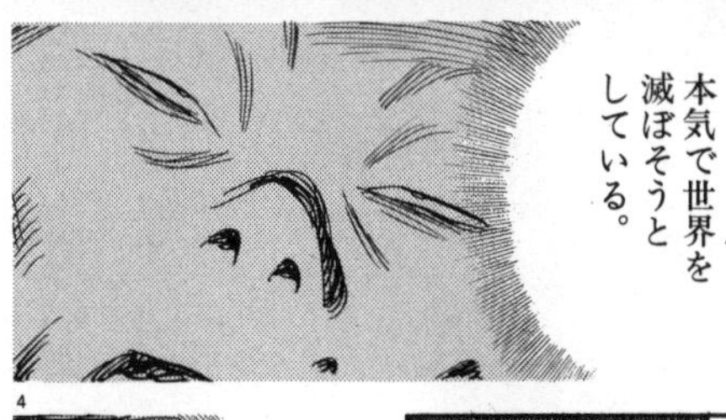
〝ともだち〟は、
本気で世界を
滅ぼそうと
している。

俺に……

おまえしか
いない……

俺にどうしろっていうんだ——!!
第1話
ギターを持った英雄

どこほっつき歩いてたんだよ！
万引き追っかけてったきり……
!!

カンナ部屋で寝かせなよ。何やってんだよ!!

？

サッ

6

新聞は売りものだから読むなって、あんた、いつも言ってんだろ！
ケンヂ——!!

ハア
ハア
ハア

俺は関係ない!!
俺は……

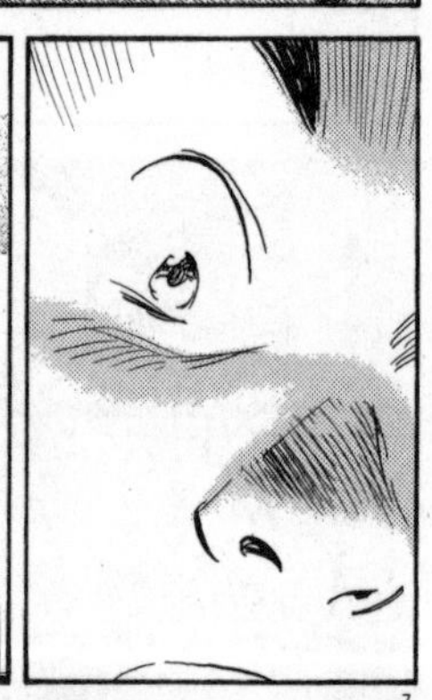

最初はサンフランシスコ……
次はどこだ……?

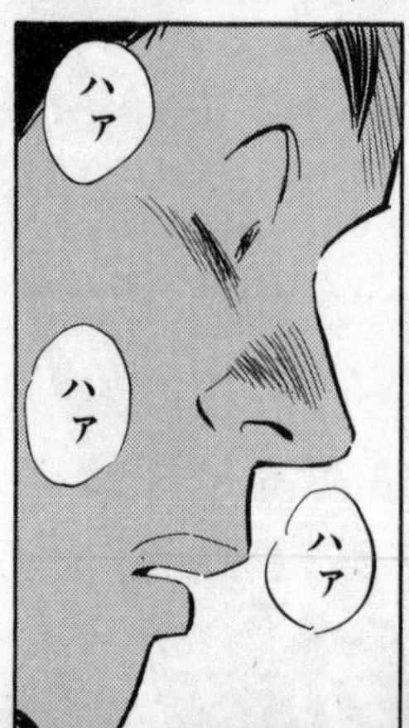
ハア
ハア
ハア

そりゃあ、次はロンドンだろ。

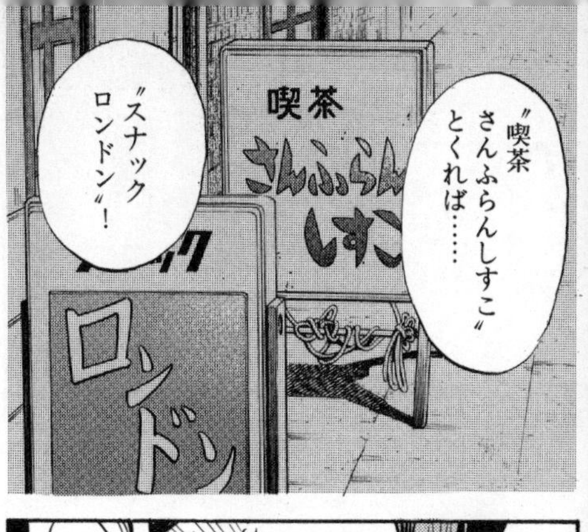
〝喫茶さんふらんしすこ〟とくれば……
〝スナックロンドン〟！
喫茶
さんふらんしすこ
ロンドン

ハア
ハア

リースポーツ
(25)
謎の病原体被害
ロンドンへ飛び火か

違う……
違う……

そんなバカな話が……!!

カパッ

INSTANT COOK
CHI
NSS
即席チキンラ
パンチ

ガサ

ガササ
これも、おまえが考えたんだろ？

レーザー銃だ……

ハア
ハア

きょだいロボット
たかさ50メートル
おもさ100まんトン
レザこうせん
ケンヂ
ケンヂ
俺……

俺……

俺……

ドンキー……
ケンヂへ……
ケンヂへ
この手紙がおまえのもとへ
届くことを祈っている.
俺は今
この手紙が、おまえの元へ届くことを祈っている。

俺は今、危険な状況にある。書き殴りなのを許してくれ。
最初、俺は、〝ともだち〟の正体はおまえだと思っていた。
おまえのことを、見張っていたこともある。

20世紀少年③

だが、おまえは毎日、子供を背負って必死に店を切り盛りしていた。
おまえは〝ともだち〟なんかじゃない。
アイス

昔からの、俺の友達だ。

〝ともだち〟の正体は誰だ？
俺達の、仲間の内の誰かであることは確かだ。

おまえが作った話を知っている、俺達の内の誰かだ。

事態は思ったより切迫している。
〝ともだち〟は、本当に地球を滅ぼそうとしている。

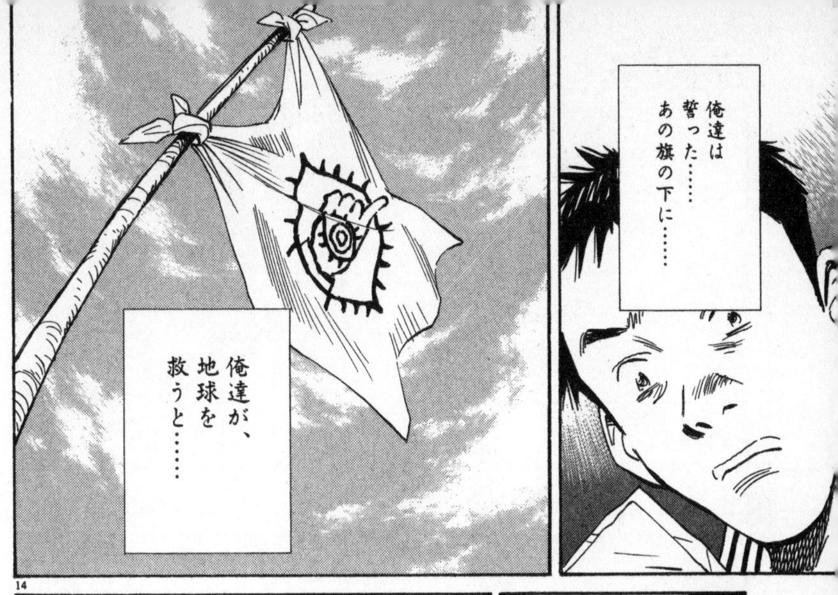

14

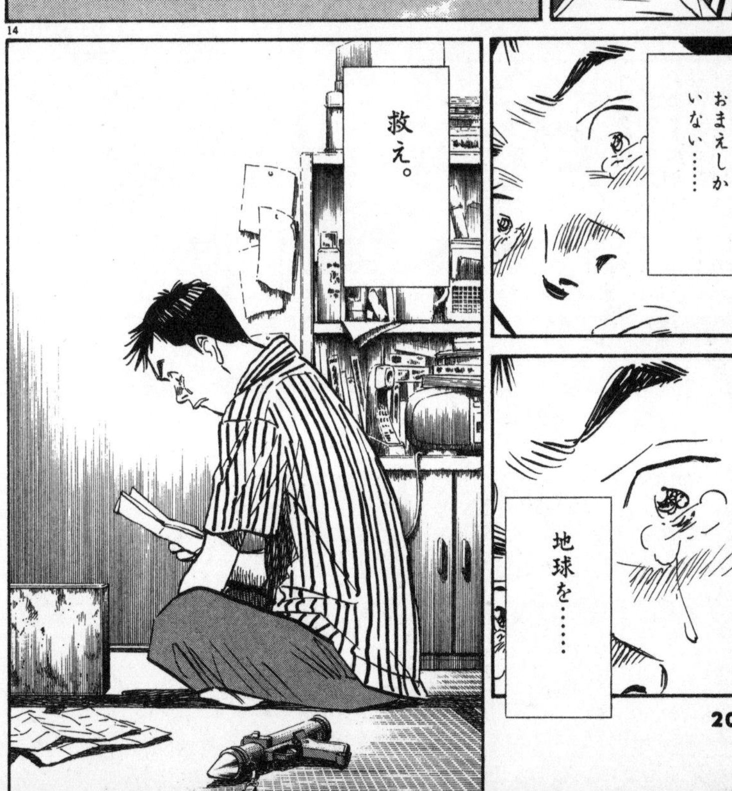

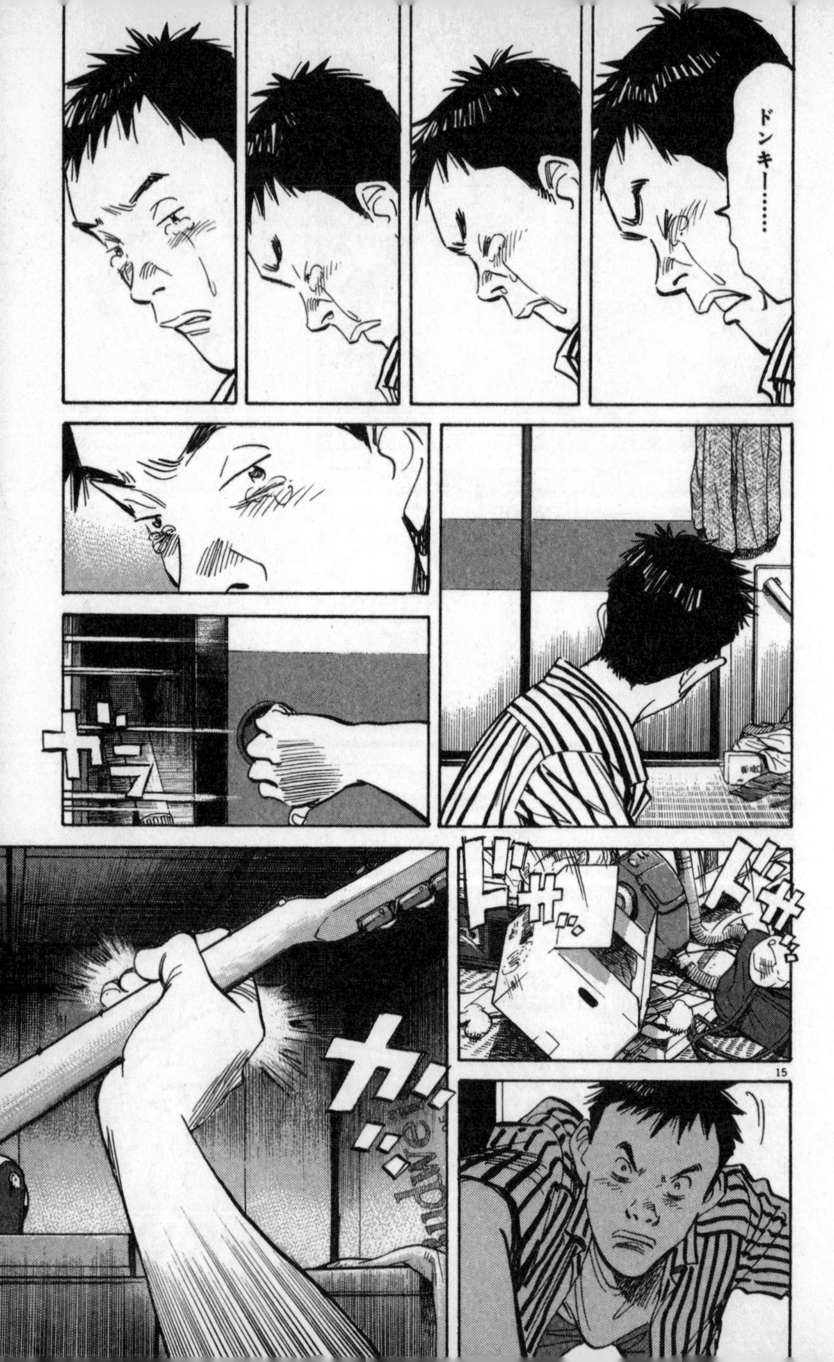
ドンキー……

ファ〜〜〜〜。
まったく、あのバカ息子が………
!!
な……何だい!?
な…何おっ始めたんだい？こんな真夜中に――!!

HAWAII
俺の夢だと、
立ち上がるはず
なんだけどね、
あの兄ちゃんが……

地球を救う
ために……

錆つ<ruby>いた弦。
ぷにゅぷにゅの
指先。
あっという間に
左手は、
痛みを通りこし
感覚を失った。
それでも、
2万6千円の
エレキギターは
うなりをあげた。

1969年、
ビートルズは
アップルレコードの屋上で
突然ライブを開始し……
野次馬が集まり、
警官は阻止
しようとした。

それでも
彼らは大音量で
プレーし続けた。
〝ゲット・バック
ゲット・バック〟
あの頃に戻ろう
と……!!

それがどうしたって……？
ただ、そんな話があったなと思っただけだ。

チッ
チチッ

ん……
やっと静かになった……
バカ息子〜〜〜〜〜!!

ハア
ハア
ハア

ハア
ハア
ハア
ハア
俺が……
地球を救うのか……

ハア
ハア
この俺が……
ハア
第2話
決意

……で、話って何？
ズゾゾゾ

え…あ…いや……
ゴン
こぼすなって言ってんだろ、コラ！

………
ズゾゾ

食うんだ、こいつがまた。やんなっちゃうよ、親子でダイエット。

いくつになったんだっけ、アッちゃん。

2年生。

マルオのガキの頃そっくりだな。
冷し中華 600円
レモンハイ 400円
肉そば 600円
タンメン 500円
そうよやばいのよ、カミさんうるさくて。

朝からランニングだよ、親子で。

走ったら、よけい腹減る。
これだもの。

おまえのガキの頃と、同じこと言ってら。

俺、そんなこと言ってたか?

言ってた言ってた。おまえの子供の頃思い出すと、腹減ったしか浮かばねえ。

しようがねえな、そんなこと言ってたか。
子供の頃のことなんか、忘れちまうよなあ。

ああ……
忘れちまう……

…で、おまえの話って何よ。
あ…いや……

おっと、そうだ。いいか、パパとラーメン食ったなんて、ママに言うんじゃないぞ。
ママに大目玉くらうのは、パパなんだからな。

約束するから、おかわりしていい？
な……

もう、しょうがねえな。
ラーメンおかわりね！二人前——!!

……

……で？
話って何だよ。

いや……

たいした話じゃないんだ……
言えない……
コラ！スープのしみつけるなって!!

こいつを
巻きぞえに
なんて
できない……

ラーメン
一緒に
地球を救おう
なんて
言えない……

は――。

だめだ、
俺………

どうした？
ヨシツネ。

とんでもないミスしちゃってさ……
仕事か……

は〜〜〜〜やばいよお。
どうしたんだよ。

トナー発注の伝票に4個って書いてあったのをさ、
千個って見間違えちゃってさ……

取り引き先に大量の納品があぁ!!
4……千……

残りの996個、どうすりゃいいんだあぁ!!
い…いやあ……

自殺しちゃおうかな……
おい!!

何か
宗教にでも
入っちゃうとか!!
おい!!

はぁ〜〜〜〜。
パーキング
24
100

だめだな
俺……

だめじゃ
ねえって。

こんなだから、
ヨメさん、
子供連れて
実家に帰っ
ちゃうんだよな。
関係
ねえって。

は〜〜〜〜〜。

頭下げるしか
ねえだろ。

頭下げたって、
すむわけ
ないよ。
やってみなきゃ
わかんねえ
だろ。

そうかな………

現に俺、今、大笑いしそうになったの我慢したしよ。

はは……

そうだよ。
すぐに笑い話になるって、そんな間抜けな話。

くく……

ははは！
ははははじゃねえよ。ほんっとバカなんだからよ!!

何か……
少し楽になった……

おう!!

パン
パン
それより、早くヨメさんと子供、迎えに行った方がいいんじゃないのか？

ああ…まあな……
いろいろ難しいよ。
難しいか………
いろいろと……

あ……
それで
おまえの
話って
何……？

いや……
い…
いいんだ
……
いいのか？
言えない
……

一緒に
地球を救おう
なんて
言えない……
24
P
100
パーキング
空車

お茶の水工科大学

あ、
どうも
〝暴走
お兄さん〟…

今日は
ソフトボール
やりませんよ。
みんな、
課題提出に
追われてますからね。

13

まだ、マサオ君は現れないのか？

ああ、田村マサオ……あれっきり来ないなあ。
ゼミの敷島教授も、行方不明のままだし……

……

あ…田村マサオっていえば……
？

ゼミ宛に小包が届いてたんだ。

ビラ……？

そこの掲示板に、一枚貼っときました。

小包……何の？
いや、ビラが百枚ほど入ってただけですけどね。

欲しかったらあげますよ。研究室に山ほどあるから。
……
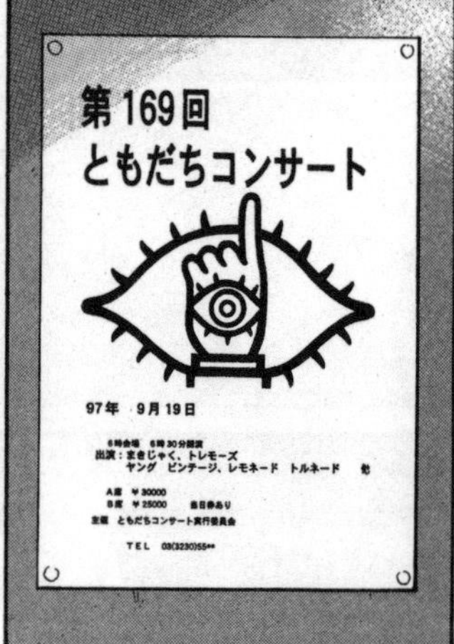
第169回
ともだちコンサート
97年 9月19日
出演：まきじゃく、トレモーズ
ヤング ビンテージ、レモネード トルネード 他
A席 ¥30000
B席 ¥25000 当日券あり
主催 ともだちコンサート実行委員会
TEL 03(3230)55**

第169回
ともだちコンサート

ともだち……
コンサート……

KING
mart

グイッ

ケンヂなら
いないよ。
どこ
行ったん
スか？

まったく！
店はほっぽら
かしだわ……
カンナの面倒は
見ないわ……

あ…
じゃあ
また来ます。
何か話が
あるって
言ってたのが、
気になって……

どうせまた、虫が
騒ぎだしたんだろ。
夜中にギター
かき鳴らしてたり
してさ。
今日だって、
コンサートだってさ。

ともだちの
コンサートとか
言ってたよ。

コンサート？

第169回 ともだちコンサート

第3話 対決

第169回
ともだちコンサート

1-3扉
私、メチャメチャ閉所恐怖症なんですわ。
あー 君、狭いとこ嫌いやね―――。

広いとこやないと
息つまるゆうて、
ついには猛特訓の末
行ってきましたよ、
宇宙飛行士になって‼
ほ――――
行ってきたんかいな
宇宙まで。
それでどないやった?

そらもう、
こんなちっさな
宇宙船の中で
1週間も地球のまわり
ぐ――るぐる
ぐ――るぐる……
メチャメチャ
狭いやんか‼

よきに
はから
え〜〜〜‼

わあっはっはっ
……!
第3話
対決

マカダミア〜〜〜♪
だーっはっはっ
……
な…何が
おかしいんだ……
ご一緒に〜〜〜♪
ご一緒に〜〜〜♪
ポテトも
いかが
ですか〜〜〜♪
!!
わはははっ
………
ピクリとも
おかしく
ない……
だーっはっはっ

俺がずれているのか……？

はっはっはっ

こいつらがどうかしてるのか……？

〝ともだち〟は……

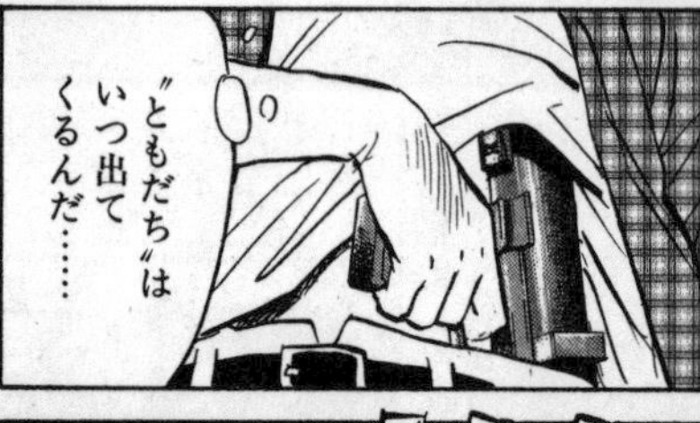
〝ともだち〟はいつ出てくるんだ……

はっはっはっ

だ…だめだ!!
何だか気分が悪くなってきた……
これ以上ここにいたら、どうかなり……

!!

愛!!
ロック!!
友(ユー)———!!
愛!!
ロック!!
友(ユー)———!!
……

愛ロック友!!

愛ロック友!!

……

ロックに定義はない……
ロックには、こうあらねばならないなんて決まりはない。ただ……

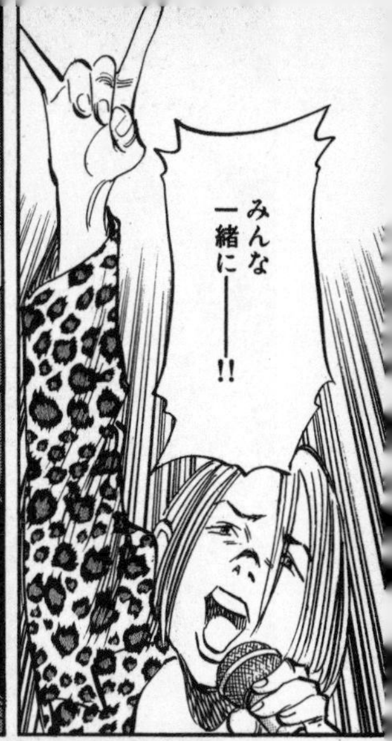

みんな一緒に――――!!

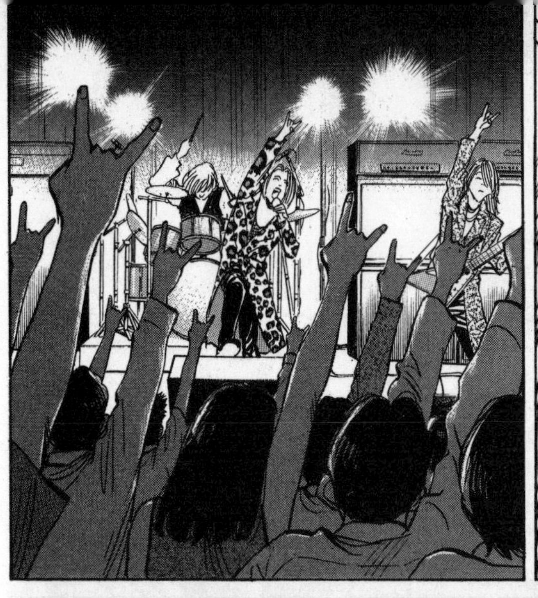
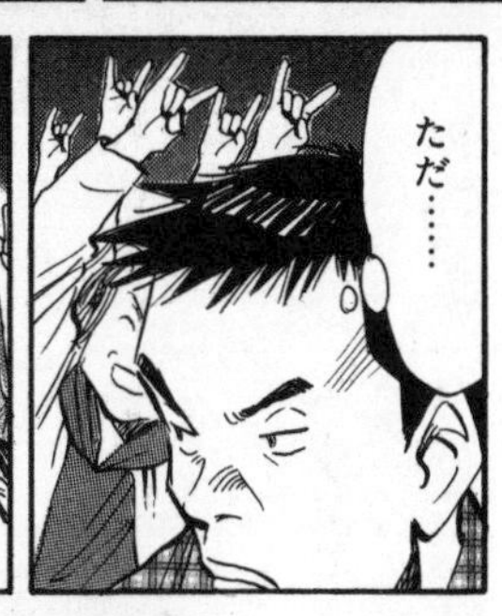

ただ……

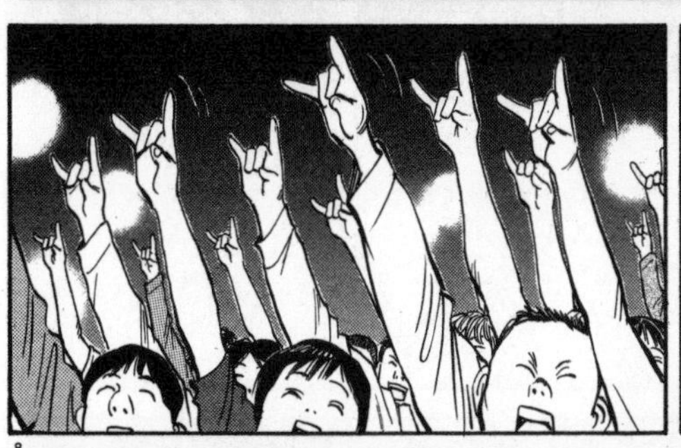
8
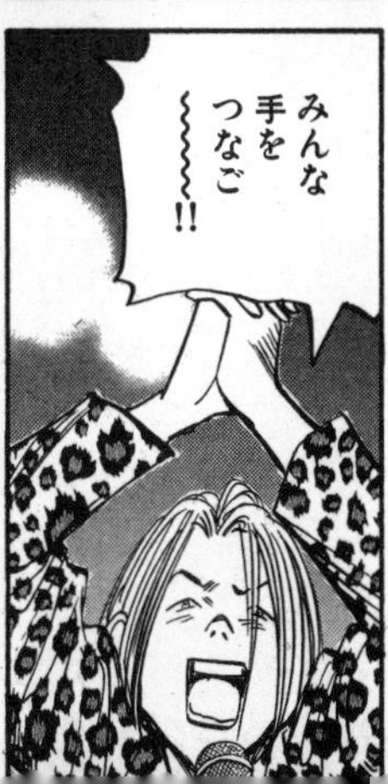

みんな手をつなご～～～～!!

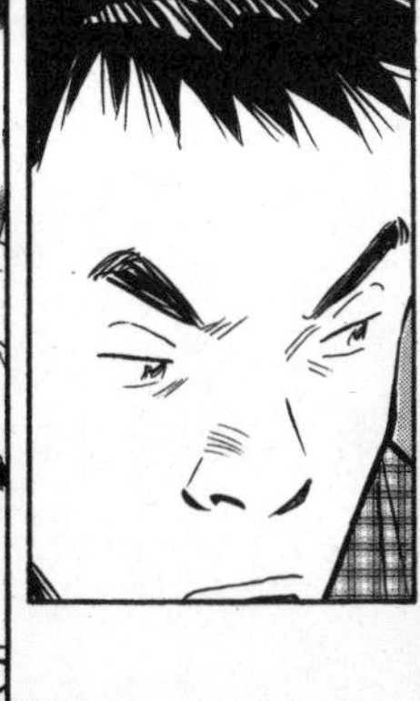
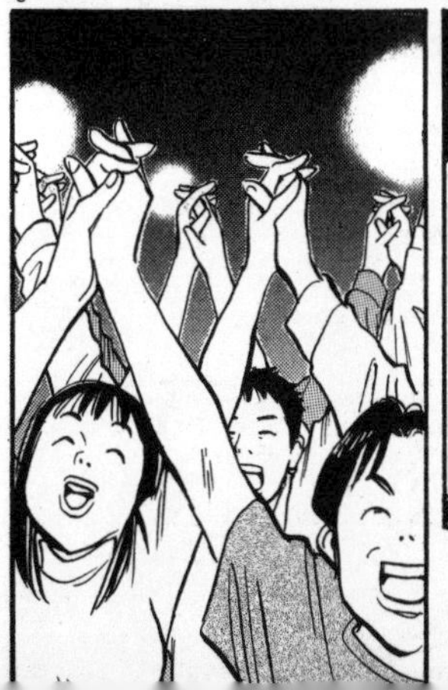

こんなものは
………
俺は……

ロックとは
呼ばない。

ねえねえ
どうしたの？
ノリ悪いよお。

ホラ、
照れないで
一緒に立って……

ヘイ！
ちょっとみんな
聞いてくれ!!

みんな
こんなに
ノってるのに、
ノリきれない
シャイな人が
いるんだ!!

おおお
……!!

それは
誰かな？
それは
……

それは……

君だ!!
わああ!!

な…何!?
や…やだ
やめて!!
………

心を解放
しよう!!
ロックだよ、
シャイ
ボーイ!!

あわ…
あわわ……

愛!!
ロック!!
友――!!

愛!!ロック!!
友――!!
愛!!ロック!!
友――!!
………

愛……

愛!!ロック!!
友――!!

ロック……
友〜〜〜!!

オーーライ
最高だ!!
素敵なロッカーに
拍手ーーーー!!

……

12

ヘイヘイ!
まだまだいるんじゃ
ないのか、
シャイボーイ!!

君だーーーー!!
!!

ガバッ
え?
パチパチパチパチ
パチパチパチパチ
何すんだ
やめろ——!!
な…
な…?
カモン
シャイボーイ!!
カモン!!
やめろ!!
放せ!!
放せっ
つってんだ!!

マイクよこせ。

よこせっつってんだよ!!
よく聞け!!

おまえ達の
信じてる
〝ともだち〟はな!!

俺の幼なじみを
殺した!!

サンフランシスコに…
そしてロンドンに
細菌をばらまいた!!
大勢の人が死んだ!!
ぜんぶ〝ともだち〟の
仕業だ!!

奴の目的は……!!
奴が次に狙うのは……

次は何だっけ…?
?

次はどこだっけ?

ケンヂ君。
……

〝ともだち〟の登場だ──!! 拍手──!!

第4話 ブラザー
KING mart
幕の内デラ
チヨさん チヨさん!! ちょっと ちょっと!!
何だよ、今、伝票がどうにも合わなくて困ってんだよ。
もうちょっと、カンナのこと見ててくれよ。
そのカンナちゃんが……!!
何だよ?
目ェはなさないどいてよ。カンナ、最近ハイハイが速くなって……
ハイハイどころか……
ほら!!
あら!?

ブーーブーーー!!

ね？こりゃどう見たって……
た…た…立ってる!!

……て、ちょっと早すぎないかい？
それでさ、何か怒ってんだよ。

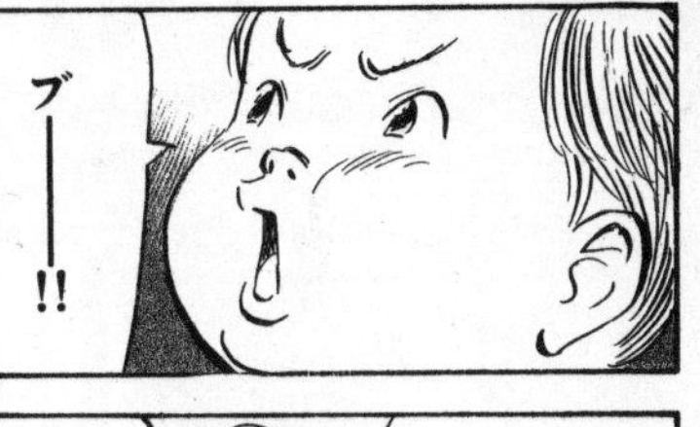
ブーー!!

ほらね。さっきからあっちの方角見て……
怒ってる……？あっち……？

あっち!!

ブ——!!

〃ともだち〃だーー!!
〃ともだち〃が降臨されたーー!!
ワアアアア
第4話
ブラザー

〃とーもだち〃!!
〃とーもだち〃!!
〃とーもだち〃!!
〃とーもだち〃!!
フハ…
ワァァァァ

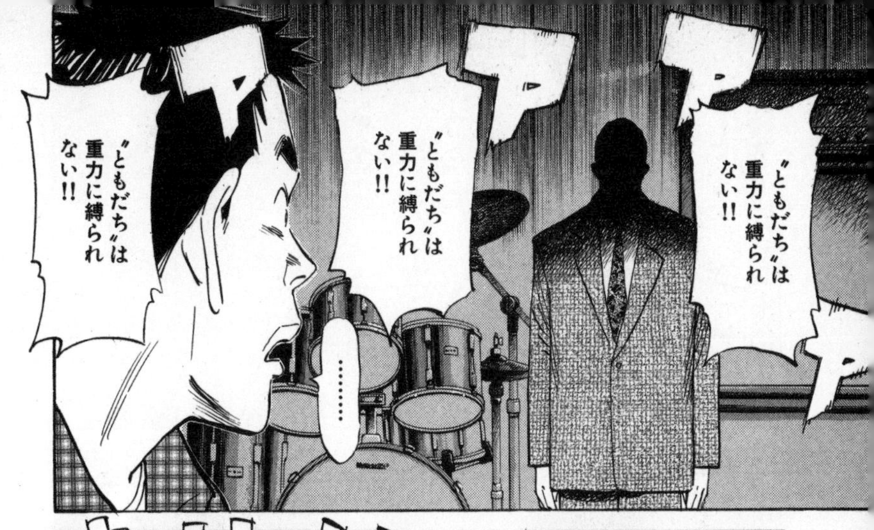
〝ともだち〟は
重力に縛られ
ない!!
〝ともだち〟は
重力に縛られ
ない!!
〝ともだち〟は
重力に縛られ
ない!!
……

うるせ――!!
こんなのは
手品師がよくやる
手だ――!!
こんなもんに
ごまかされる
な――!!

はっはっはっ
!!

笑ってないで
よく考えろー!!
はっはっはっ

誰なんだ、おまえは……!!

そんなとこつっ立ってねえで、顔見せろ!!
おまえの正体は……

カッ

誰だ!!

カッ

………

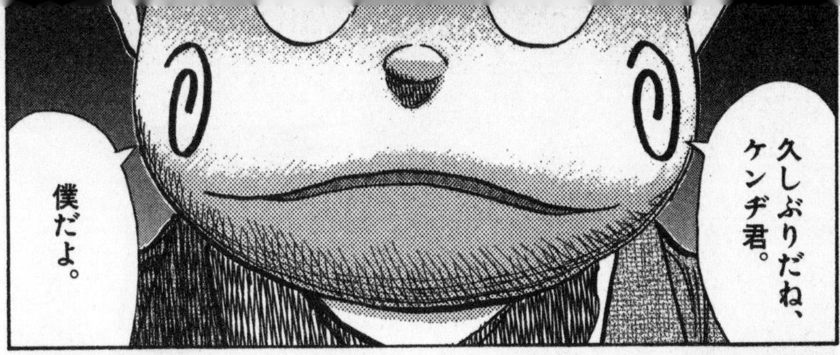
久しぶりだね、
ケンヂ君。
僕だよ。

ワアアアア

な……

何、
ふざけた
お面なんか
つけてんだ、
このヤロー!!
次は
どこだっけ？

……!?

サンフランシスコ……
そしてロンドンに細菌がばらまかれた……

次はどこだっけ?

次…って……
サンフランシスコ、ロンドンときて……
東京は、まだ早いな……
……
じゃあ次は……?

次は……

……大阪。

あっ、そうか。
大阪だ！そうだったよね。
ポーン

え……？

みんなに紹介しよう!!
え…え…？

偉大なる予言者ケンヂだ!!

ワァァァ
ケンヂ!!
な…
な…!?
ケンヂ!!
ケンヂ!!

ちょ…
ちょっと待て!!
静かにしろ!!
ケンヂ!!
ケンヂ!!
ケンヂ!!
オオ

静かに
聞け!!

こいつは……
おまえ達の信じてる
この〝ともだち〟は……!!
人殺しなんだ──!!

はっはっはっ
笑うな!!

その証拠のひとつがこれだ!!

レーザー銃とか言って、こんな武器まで製造してるんだ!!

こいつはオモチャじゃないらしい。

このままほっといたら、被害者がどんどん増え続ける!!

ザワ ザワ

ほっといちゃいけない
………

おまえは、サンフランシスコの人達を……
ロンドンの人達を……

ドンキーを殺した。

君らしくないなあ、銃なんか構えて。
君は、そんなことできる人じゃない。

………

第一、君には絶対に撃てない理由があるよ。
……？

カンナは元気かい？

……？

カンナの
父親を……
撃つことは
できないだろ？

な……

何
だって……？

君は、僕の義理の弟だ。

嘘だ……

嘘だ!!

偉大なる予言者、僕のブラザーに祝福を!!

な……

は、
放せ!!
わ!!
17
やめろ!!
ケンヂ!!
ケンヂ!!
ケンヂ!!
ステージに
戻せ!!
やめろ――!!
ケンヂ!!
ケンヂ!!

嘘だ……

あいつと……
姉貴が……

カンナの……

ケンヂ君
遊ぼうよ。
え…!?

遊ぼうよ、
ケンヂ君。

誰…
だっけ?

大阪——
ASAHI
SUPER
DRY
グリコ
CHINTA
只今 上
お笑いの
危機一髪!!
吉友新喜劇
グランド 花

第5話 クラスメート

いよいよですな。
はい、いよいよです。
関係者以外
立入禁止

長い間、夢見てまいりましたあの大舞台!!
はい、夢見てまいりました!!
夢から覚めたら場末の演芸場……
なんでやねん!!

すぐそこにあるやないか、お笑いの殿堂が!!
ほう、お笑いの殿堂!!

スルスル〜っと幕が上がります。
はい、幕が上がります。

ビッシリと、お客さん入ってはります。
ビッシリのお客さんや!!

2

聞こえますか?アルプススタンドのお客さ——ん!!
ここは甲子園かい!!

そこで私らの漫才が始まります。
は——緊張しますなあ。

ドッカン
ドッカン
うけ
まっせ!!
うけ
ますか?

そらもー
君……

笑い死に
しまっせ!!
死に
ますか!!

おい!!
おまえら
何しとん
のや!!
!!

何やねん
その格好は!!
若手芸人か?
誰やねん。

ど…どない
しよ!!
しゃあない、
予定変更
や。

とりあえず、
ここで
いてまえ!!

うわ!!
ビシャッ

よきにはからえ〜〜〜〜!!
コ…コラ待たんかい!!

何ひっかけよった!!
コラーー!!

うわ……ビショビショや。
気色わる〜〜〜!!

何や、これ……

曜日

『お笑いの殿堂』

謎の病原体、日本にも上陸

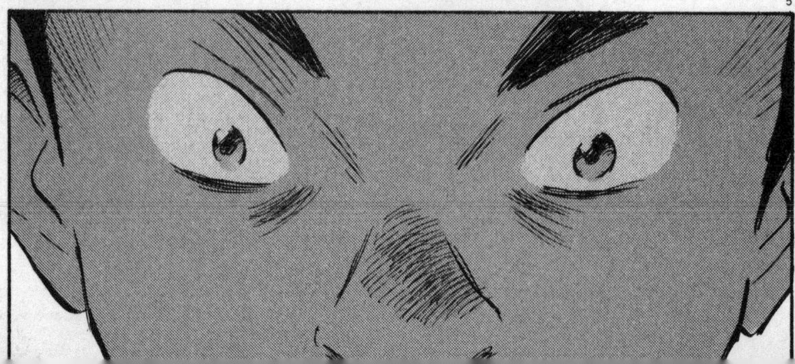

それも、
俺が考えた
ことだ。
「お笑いの殿堂」に衝撃
謎の病原体、日本にも上陸か
第5話
クラスメート

そんな……
まさか……
日刊エヴリー

ユキジが信じられなくて当然だ……
こんなバカげた話、簡単に信じる方がおかしいからな……

…いや、あの……
俺がどうかしてるって思うだろ……

俺だって、自分がどうかしてるんだって思いたいよ……

俺のせいで……
俺が、バカな話考えたせいで……

俺がガキの頃作った話で……
大勢の人が死んだなんて……

俺のせいで……
俺のせいで……

ケンヂ……
全部
俺のせいだ!!

ドンキーが
殺されたのも
……

ケンヂ!!

あんた
何も悪くない。
子供の時の
妄想なんて、
誰だってするよ。

それに……
子供の時
あんたが考えた
ことって、
悪の組織を作る
ことじゃなく……

その悪の組織から、
地球を守ること
だったんでしょ。

バカだよな……

そんなこと、できるわけねえのに……
本当にバカだよ……

……

そのバカのおかげで……

何の罪もないカンナまで……

？

カンナの父親を……
撃つことはできないだろ？

だ――――!!
……

カンナちゃんがどうかしたの?

いや……

何でもない……

それで俺、おまえに連絡したのは……

例の〝ともだち〟の被害者の会に出ようと思って……

何もかも話して……
少しでも多くの人に、このこと伝えなくちゃと思って……

警察も信じられないとなると……
そうね……

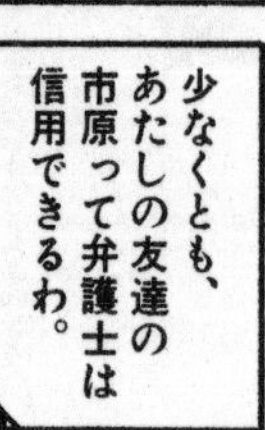

少なくとも、あたしの友達の市原って弁護士は信用できるわ。

確か次の会は週末に……

情けねえな……
ガキの頃、地球の危機を救うとか言ってたのに……

大人になってできることっていったら、この程度だ……

そんなことない。
思い出すのよ、あんたが子供の頃考えた話を……

……？

悪の組織が、次にどこで何をするのか思い出せば、未然に防ぐことができる。

それがだめなんだ……
え……

必死に思い出そうとしても……
その先が、全然思い出せない……

……

とりあえず仲間を募ろう。
明日はいい機会だわ……

明日…？被害者の会は週末だって言ったろ…？
やだ、忘れちゃったの？
12

何を？

明日、クラス会。

はっはっはっはっはっ
そう言っておきながら、ユキジは翌日クラス会に現れなかった。

おまえ何やってんだよ、早く来いよ!!

あたしの仕事、知ってるでしょ!!
麻薬Gメンだろ。

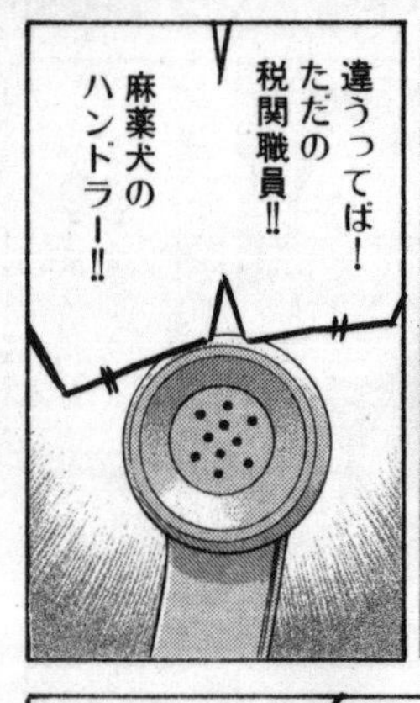
違うってば！ただの税関職員!!
麻薬犬のハンドラー!!

あたしの犬がね……ブルー・スリーが……
あのバカ犬が、また旅行客にかみついたか？

白い粉見つけちゃったの!!

カタ…

まいったな………

クラス会は、
とても例の話を
切り出せるような
雰囲気じゃ
なかった……

学級委員長の
グッチィ……
いやあ、
息子が
お受験でさ〜〜〜。

今は大手都市銀行の
融資課長……
何となく委員長の
ままだ。

医者の息子、
ノブオ……
予定通り医者に
なったらしい。

いつも腹をこわしていた
コイズミ……
相変わらず内臓が
弱そうだ。

ひと目見て、
名前の浮かぶ奴は
まだいいんだ
けど……

顔を見ても、
ちっとも
思い出せない
奴が
何人もいる……

誰だっけなんて、
名前聞くのも
何となく
悪いし……

ヨシツネ、
マルオ……
おまえら、

そいつが誰だか
わかって
しゃべってんのか？

俺の記憶、
か……

よっ！
!!
ポーン

人の記憶……

おまえ
変わんないなあ、
ケンヂ。

あ…ああ。

どうした?

あ…いや。
誰だっけ、
こいつ……

思い出せ
思い出せ
思い出せ……
おまえと、
ちょっと話が
したかったん
だ。

あ…

16

フ…
フクベエ!?

やめろよ
その呼び方……
いい年して……
あ…
あはは
……

元気
そうだな、
ケンヂ。
あ…いや、
まあな……

おまえか、
オッチョ……
どっちかに
話がしたかっ
たんだ。

あ…ああ
オッチョは……
来てない
みたいだな……

実はさ……
こんな所で
大きな声じゃ
言えないんだが……

ウチのカミさん、
変なカルト宗教
みたいなのに
ハマっちゃってさ……

!!

それで俺、
いろいろ
調べたんだけど
さ……
その団体の代表の、
〝ともだち〟っていうのが
言ってる話……
おまえとオッチョが
ガキの頃作った話に、
そっくりなんだよな。

俺、最初
おまえが〃ともだち〃
かと思ったけど、
どうやらそうじゃ
ないらしい。

…で、
俺、あの話を
詳しく知ってる奴、
誰だったか
思い出して
みた……

俺……
おまえ……
ヨシツネ……
マルオ……
ケロヨン……
モンちゃん……

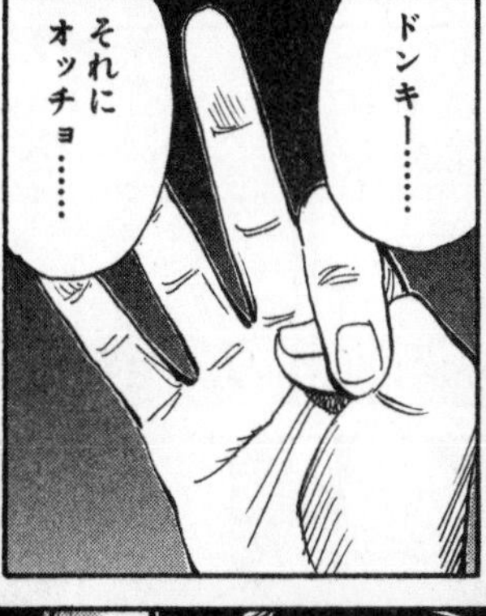
ドンキー……
それに
オッチョ……

あと……

もう一人
いる……

ヨシツネ。
マルオ。
モンちゃん。
ケロヨン。
ドンキー。
オッチョ。
ケンヂ。
おまえが
作った話を
知っているのは、
このメンバー
と……

そして
俺……
あと
もう一人
………
だ…
誰なんだ
フクベエ!!
あと
もう一人って
………

おまえ達が
作った
原っぱの……

おまえ達、
あんまり
楽しそうにしてたから、
俺、内緒で
のぞきに行ったん
だ……

仕掛けられた
罠に引っ掛からない
ように……

あの秘密基地へ……
第6話
もう一人…

中には
古いラジオ……

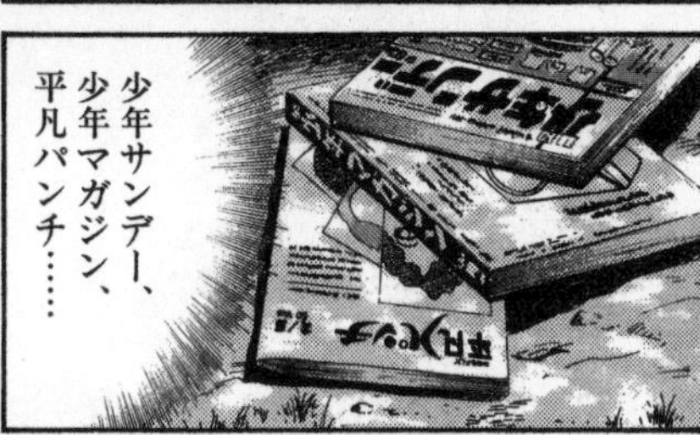
少年サンデー、
少年マガジン、
平凡パンチ……

そして
スケッチブックが
一冊……
表紙には、
こう書かれて
あった。

よげんの書
〃よげんの書〃
と……

その中には、
数々の
地球の危機が
書きつらねて
あった……
悪の組織の、
地球征服へ
向けた
様々な企て
………

…と、
そこへ……

僕にも
見せてよ。

内緒に
するからさ。
僕にも
見せてよ。

誰だ……!!

その
もう一人って、
誰なんだよ!!

おい、
ケンヂ!!
!?

今、みんなで
日光の修学旅行の
話で盛り上がって
たんだぞ。
おまえ、
少しは人の話
聞け。

あれ……?
先生……
いつの間に
……?

さっきから
来てたよ。
おまえ、
子供の頃と
ちっとも
変わらんな。

はっはっはっ
黒板に
注目しないと、
チョーク
投げるぞ!!
……

そういえば
ケンヂ、
おまえ、テレビ
出てたな。

え?

あ──
見た見た、
歌番組で。
他の出演者
から浮いて
たな〜〜〜〜。
まだ
やってんのか?
あの売れない
バンド。

あ……いや……
も…もう
10年も前の
話だから……

あれは、おまえ、
人様の前に出る
格好じゃなかったな。
こいつは大麻か何かで、
警察につかまると
思ったぞ。

はっはっはっ
……

警察といえば、
ちょっと前に
刑事さんが
来てな……

何か事件でもあったんですか？

ん……いや、そうじゃなくね……
このクラスで、何か覚えてることないかってね……

おいおい、誰か人殺しでもしたんじゃないのか？
はっはっはっ

………

…で、その時に思い出したんだけどね……
みんな覚えてるかな？

スプーン曲げ騒動。

あ——あったあった!!
え？なになに？

ほら、給食のスプーンが全部曲がっちゃってて……
あ——みんな給食食えなくなっちゃって……

あれの犯人、
誰だったっけなあ
…と思い出そうとしてもね……
これがどうにも思い出せない。

え…
誰……？
誰だっけ？

いやいや、君らは知らんのだ。

よーし、全員目をつぶれ。

スプーンを曲げたのは誰かな？

先生怒らないから、正直に手を上げろ。
それでもう、この騒ぎはおしまいだ。

さっ、誰だ？

うん、
そうか
わかった。
よおし、
みんな
目を開けろ。

いやあ、
ところが
その時、誰が
手を上げた
のか……
これが
まったくもって
思い出せない
……

先生、
それ、もう一度
やってみたら
どうです？
何を？

みんなに
目をつぶらせ
て……
そうだそうだ。
このクラス会に
来てる奴かも
しれない。

そんな、君らいい年して。

やってみましょうよ。
先生にだけ、わかればいいんだ。
やろうやろう。

そ…そうか。
それじゃあみんな、悪いけど目をつぶってもらおうかな。

こりゃ面白いな。
一体、誰だ？

よーし、みんな絶対目を開けるなよ。

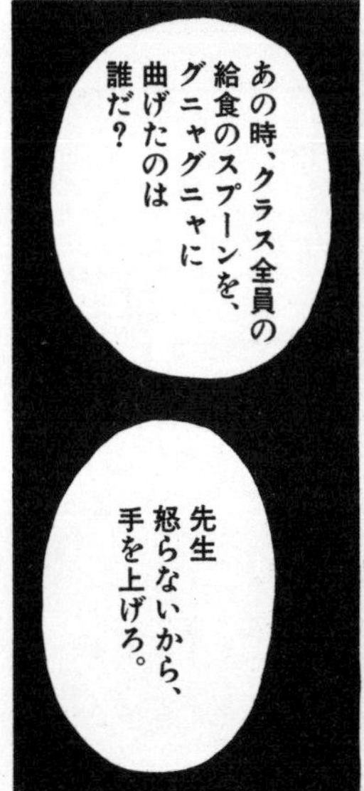
あの時、クラス全員の給食のスプーンを、グニャグニャに曲げたのは誰だ？
先生怒らないから、手を上げろ。

はっはっはっ
こら そこ、目を開けるな。

ザワザワザワザワ
ほおっ、おまえか……
何でおまえ、あんなことやったんだ？
第一おまえ、どうやって一度にあんなたくさんのスプーンを曲げたんだ？
ザワザワ

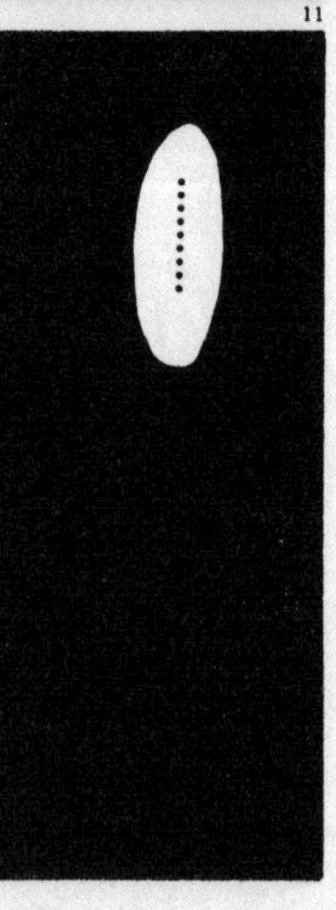
………

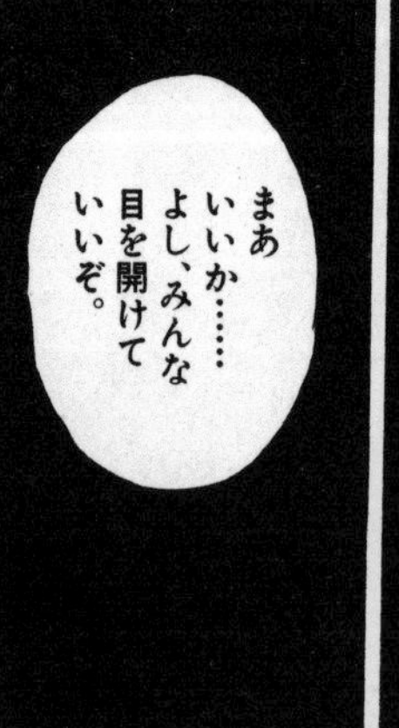
まあいいか……よし、みんな目を開けていいぞ。

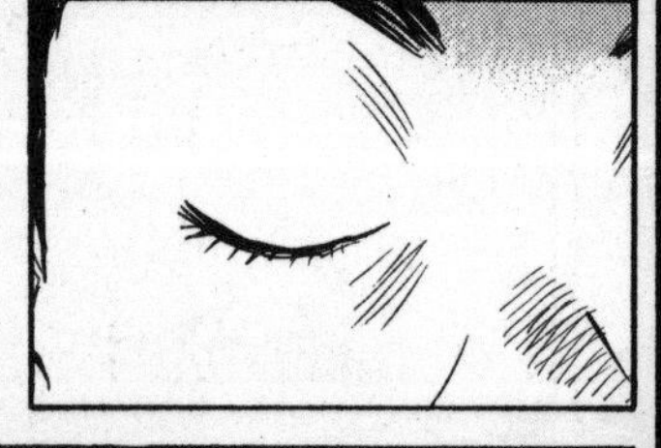

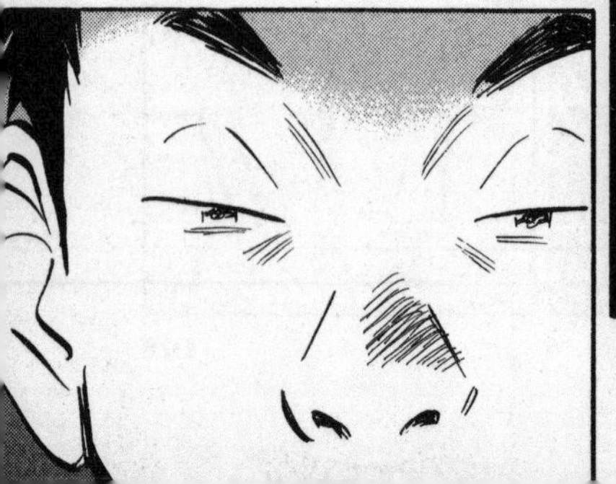

ガヤ
ガヤ
ガヤ
誰だ誰だ、おい!!

やっぱりこの中に犯人がいるんだ!!

もう時効だ。名乗り出ろよ!!

ガヤ
ガヤ
誰だよ!!

先生一体、誰なんですかーー!?
……

12

まあまあ、これはこれでおしまい!!

ガヤ
え〜〜〜!? 何だかモヤモヤするな〜〜〜!!
ガヤ
亀吉
あ〜〜もう飲も飲も!!
ガヤ

んが〜〜〜〜
もう一軒行くぞお!!
学級委員長の
命令だ——!!
もう、このぐらいに
しとこうよ!!

ケンヂ——
ダメだ
ヨシツネ、
完全に
ダウンだ。
オエ——!!

タクシー乗せてけ。
俺はこっち
送るわ!!
ウイ——!!

それじゃ
またな!!
もう一軒
行くぞ——!!
いいかげんに
しとけ!!

13

ふ——。

なあ
フクベエ、
思い出せよ。
おまえの他に
もう一人、
〝よげんの書〟を
見た奴……

ダメ……
それが
全然ダメ……
思い出せ
……ない。

は〜〜〜〜。
RRR…

おい、
携帯
鳴ってるぞ。
RRR
ダメ……
出てくれ。

出てくれって……
おい……
RRR

14

あ…はい、
あの……
あーーん
もう、どうして
電話くれないの？

女……？
他にも女、
いるんでしょ？

あ…あの
おい、
女だぞ。

そんなこと
ばっかり
やってるから
……

カミさん、
変なカルトみたいな
宗教に………
はまっちまったんだな……

もしもしい…
ねー
もしもしい…
………

ZZZ

個人
おい、しっかりしろ。
ここでいいのか？
おまえのマンション。
ウイ〜〜〜〜。

いいとこ
住んでるじゃねえか、
何号室だよ!!
ろくまる
ろく〜〜〜〜。

606

ギ…

16

わかった
わかった。
お兄ちゃんが
作ってやる。
おじさん
誰~~~~~?

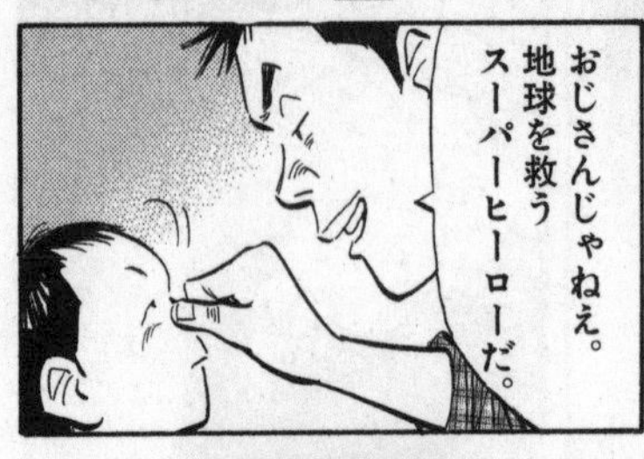
おじさんじゃねえ。
地球を救う
スーパーヒーローだ。

平和のために、
まずは、おまえ達の
メシを作る。
何が
食いたい?

ケンヂ……

おまえは
寝てろ。

思い出し
た……

何を……

もう一人、
"よげんの書"を
見た奴……

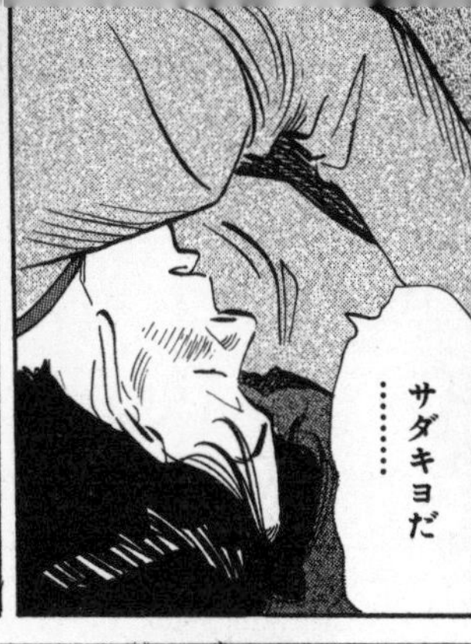
サダキヨだ
………
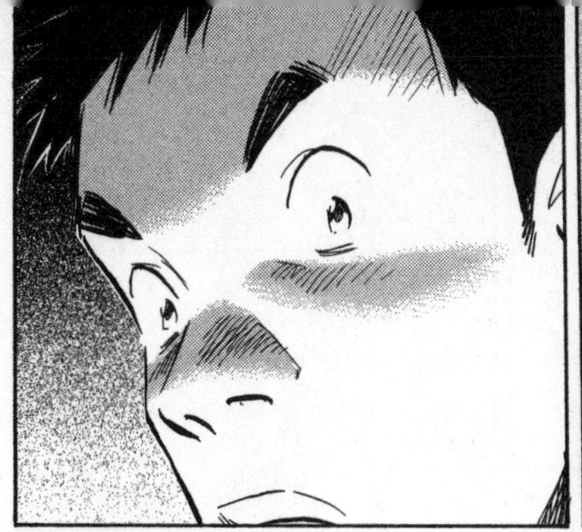
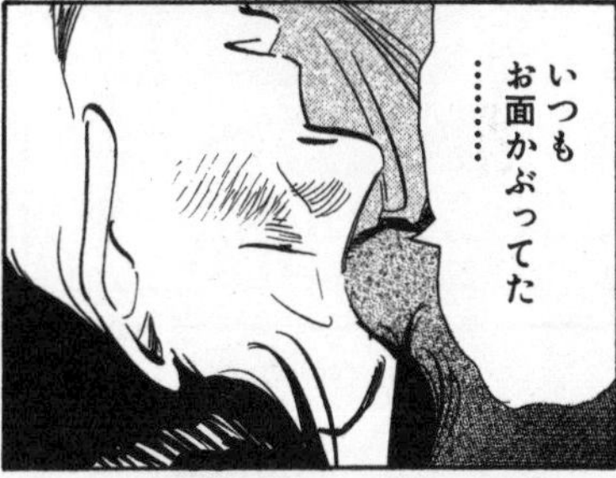
いつも
お面かぶってた
………
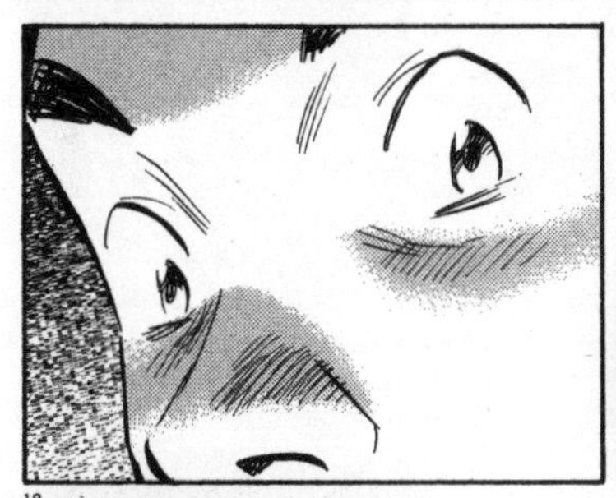
18
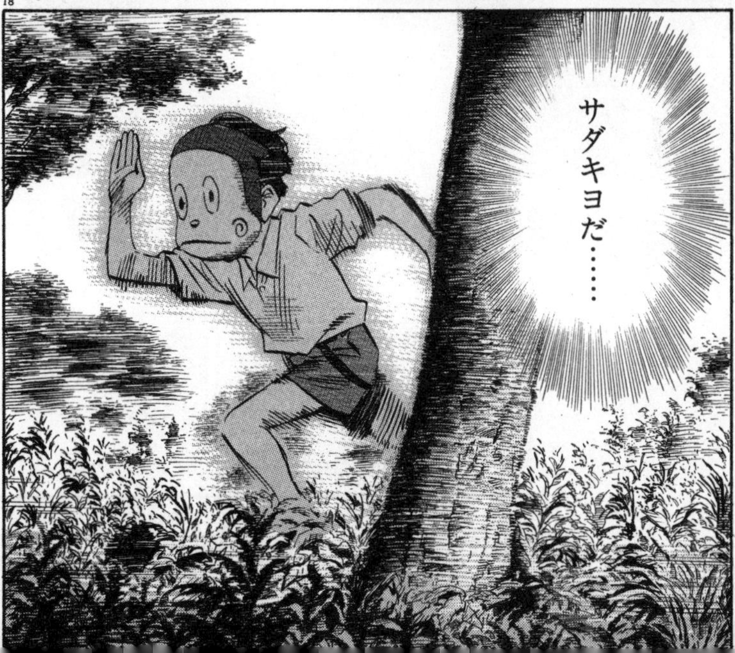
サダキヨだ……

第7話 サタキヨ

さ――
食え!!
特製
ケンちゃん
ライスだ!!

ガッ
ガッ
ガッ
どうだ、
うまい
か!!

ハグ
バク
バク

け…結構
結構。
言葉を
失うほど
うまいか!!

兄ちゃんは、
かっこいいのに
なぜか売れなかった
バンド時代、
これで
生きのびた!!
ガッ
ガッ
ガッ

おまえ達も、
母ちゃん
いなくなって
つらいかも
しれないけど、
元気
だせ!!

フクベエも……いや、父ちゃんもおまえ達と同じようにつらいんだ。
力になってやれ!!

ハグ
ハグ
バクバク

そんなにうまいか!!

ガツ
ガツ
ガツ
……

じゃあフクベエ……おまえ、酔っ払っちまってるから、俺、また来るわ。

ん〜〜……

おまえのおかげで、〝ともだち〟の正体はずいぶんしぼりこめた。

俺は、オッチョが〝ともだち〟だと思いこんでた……
だがおまえの言うように、どうも怪しいのは………

サダキヨ……

4

ケンヂ……
ん……？

あれだ……あれ……
〝よげんの書〟……見せてくれ……

あんなスケッチブック、今、あるわけないだろ。
ガキの頃、とっくに捨てちまったよ。

あれがあれば……
〝ともだち〟がやろうとしてること……
わかる……
ん～～～む。

ああ……
何とかして、あれに書いたこと思い出してみるよ。

ガキの頃、俺が考えたことだもんな……

なあ、フクベエ……

相手がオッチョだろうがサダキヨだろうが……
俺達が、〝ともだち〟のやろうとしてることを止めなきゃならない。

ZZZ

……

俺と一緒に戦って……

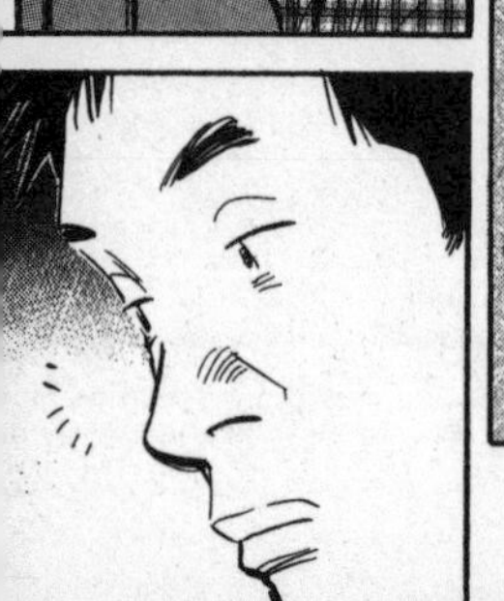

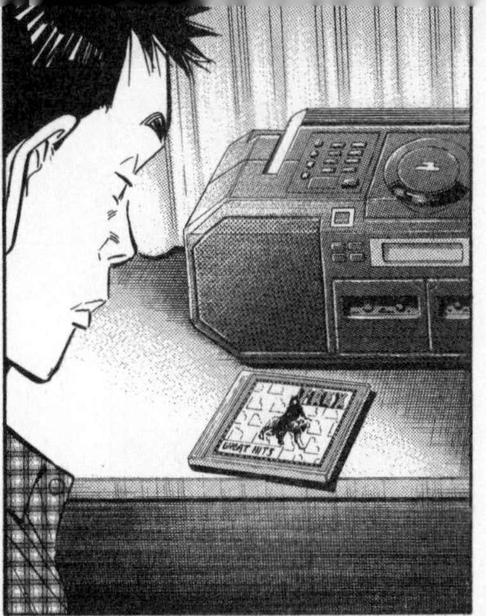

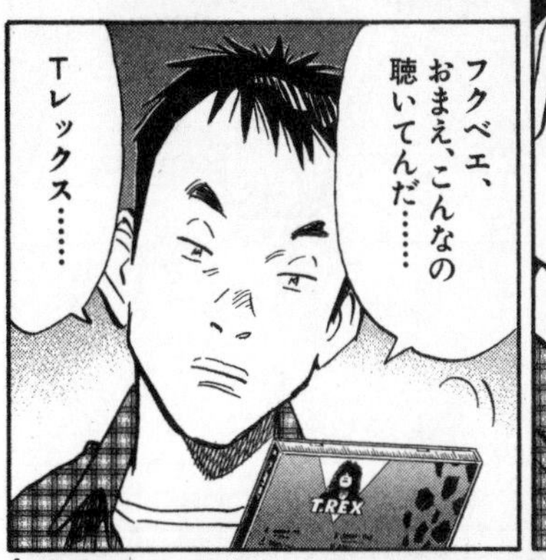

フクベエ、おまえ、こんなの聴いてんだ……
Tレックス……
T.REX

懐かしいな。〝20センチュリーボーイ〟……

第7話 サダキヨ

何だよ、こんな夜中にい!!

アルバム見せてくれ。
アルバム……何の？

小学校の卒業アルバムだよ。
そんなの、家帰って自分の見ろよ!!

俺のは、バンドで家出してた頃、おふくろがレコードとかと一緒に捨てちまったんだよ!!

じゃあ明日見せてやるよ、明日……
だめだ！今、見せろ!!

ファワワ〜〜〜〜……

いいかげんに
帰って寝ろよ。
ゆうべのクラス会で、
初恋の人でも
思い出したのかよ。

サダキヨって、
覚えてるか？

サダキヨ……？
ゆうべの
クラス会、
来てた
か？

サダキヨねえ……
名字、何だっけ？
来てたような、
来てなかった
ような……

みんなすっかり
オヤジになっちまった
からなあ……
誰だかわかんない奴、
何人もいたもんな。
あれは、ちゃんと
自己紹介させなきゃ……

8

何で
この卒業写真に
写ってないんだ？
ん──？

あ──
思い出した。
写ってるわけ
ねえよ。
？

確か
5年の時、
転校しちゃった
もんよ、
サダキヨ……

遠足の写真とか
あるか？
も──
帰って寝ろ
よお!!

どこにも
写ってない……
あ──
かもしれない
な……

？

あいつ、
イジメられてた
しな。

ドンキーも
イジメられて
たけど、
俺達の仲間に
入ってからは
やられなく
なった……

サダキヨって、
変な奴
だったもんな。
いつも
お面かぶって
さ……

……

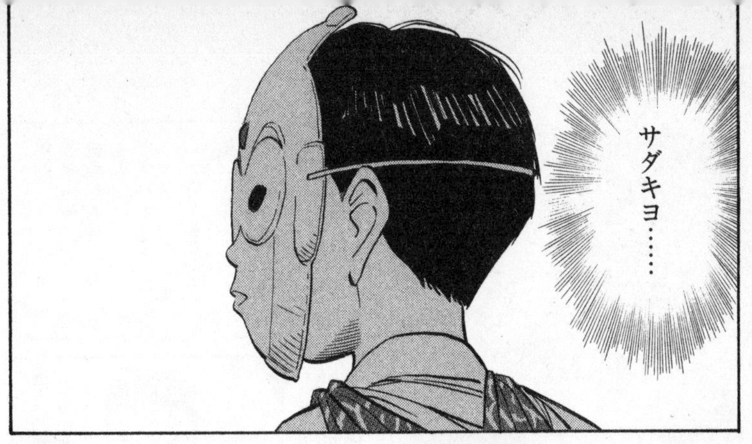
サダキヨ……

いつもお面をかぶっていたサダキヨ……

教室の隅で、いつも一人でいたサダキヨ……
努力

校舎の裏で、いつもイジメられていたサダキヨ……

いつも屋上で、
宇宙人と交信してた
サダキヨ……

サダキヨ……

顔が
思い出せない
……

いや……

クラス会に
来るわけ
ね――よ。

確か
死んだって話
聞いたぞ、
中学ん時
……

何で？

死……？

ああ、そんな噂聞いたわ。
だからクラス会に来てたとしたら、お化けだよ。

でも噂だろ？もし、本当に噂にすぎなかったら……？
は？

もし、サダキヨは生きてるとしたら……？

何、言ってんだおまえ……
もし生きていて……

12

サンフランシスコ……ロンドン……
そして大阪と……

おしっこ〜〜〜〜〜。
だめだって。中でおしっこしろって……

わ!!

やっと帰って寝る気になったか……
ユキジが………!!

ユキジがあぶない!!

ケンヂ、おまえ最近変だぞ。
おしっこチビっちゃったよ。
HIP

人々に、逃げ道がない恐怖感を与えるのが目的なら、
もっといいとこがあるよ。

もっといいとこって……

キイイイン!!
〝飛びます飛びます〟

あ……

飛行場だ!!

細菌攻撃ばっかりじゃ、能がないな。

やっぱり悪の組織なんだから、も少し派手なのがいいよな。

派手なのって？
う――ん何というか、バクダン仕掛けるとか…

バクダン？
いいねえ！東京タワードカーンとかね!!

東京タワーかあ……
でも、あそこは怪獣映画で必ずつぶされるから、面白くないなあ……

新幹線ドカーンというのもかっこいいぞ!!
新幹線か……それでいくか!!

交通網に仕掛けるのは、いいアイデアだな。でも……
でも……？

パパ──。
!!

おしっこ~~~~。
あわわ、こんなとこでするな。トイレ行け!!

ケンヂ、わけわかんないこと言ってないで家帰って寝ろよ。

サンフランシスコ、ロンドン、大阪に細菌をばらまき……

次におまえは、何をするんだ!!

タクシ――!!

どちらまで?
成田!!

へ?

成田空港!大至急!!

ユキジが……

ユキジが空港にいる!

……!!

やな夢
見たなあ……

こりゃあ
いよいよ……

ドカンと
来るぞ。

レストラン
は——……
新東京国際空港
到着ロビー ——

まったく、バカ犬なんだから……

あんた、大変なドジ踏んだのわかってんの?
ヘッ
ヘッ
ヘッ

やっとあんたも、一丁前の麻薬犬になれたと思ったのにね……

ヘッ

ヘッ

第8話 空港爆破

ヘッ
ヘッ
ヘッ
小麦粉!?

そ…そんな……お言葉ですが監視官…!!
税関検査場――

CANINE TEAM
このブルー・スリーが跳びかかって、バッグから白い粉がこぼれた時、
明らかにあの旅客はうろたえて……

そんな犬に突然とびかかられたら、誰でもうろたえるよ。

ヘッ
ヘッ
ヘッ
でも……

あの男は、あの時、明らかに逃げようとして……

試薬による
検査の結果、
あの白い粉は
小麦粉だったという
ことが判明した。
それに対して、
まだ君は
疑いを抱くの
かね？

TOKYO REGIONAL CUS
CANINE TEAM
………

まったく、
えらいこと
してくれ
たよ。
は……？
CANINE TEAM

あの男、
今はビジネスマンだが、
元はマスコミの仕事を
していたそうだ。

………

今回の、我々税関の
失態……
マスコミに
流すなどたやすいと
言ってきた。
………

そんな男を
そのバカ犬と一緒に、
空港内、衆目の中、
よくまあ大捕物よろしく
追いまわしてくれたよ。

もし彼が騒ぎ出したら、我々の立場はどうなるんだね。

も………
申し訳ありません………

他言無用だ!!
は？

今回のこと、誰にもしゃべるなと言っているんだ。

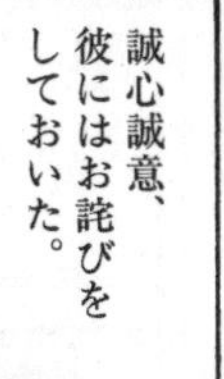
誠心誠意、彼にはお詫びをしておいた。

CANINE TEAM
あ……
あたしもあやまってきます!!

もういいから、君はおとなしくしていてくれ!!
………

ヘッ
ヘッ

どうすんの。
きっと
これで、あんた
訓練所に
戻されるわ。
ううん、
それだけだったら
まだいいわ……

CANINE TEAM
完全に
認定不合格に
なったら……

ヘッ
ヘッ

TEAM

ヘッ
ヘッ

いいとこに
もらわれて
いくといいね
……
ヘッ
ヘッ

あたしから
言っとく。
あんた、
ちょっと
バカだけど、
悪い子じゃ
ないって……

大丈夫、
心配いらないって。
いい飼い主が
現れるって
……

？

第8話 空港爆破

あの……!!

先ほどはすみませんでした!!

CANINE TEAM
何と言ってお詫びしたらいいか……

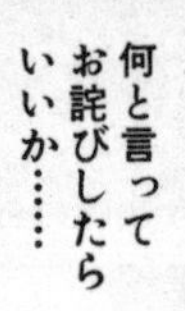

もういいですよ。

あ……ちょっと待ってください。
こんなこと、言える立場じゃないことはわかってます。でも……

この子、クビになっちゃうかもしれないんです!!
何とか穏びんに……

7

どうか、穏びんにお願いします!!

だから言ってるでしょ。

もう
いいって……

ギャギャッ
でも……!!

キキイッ
CANINE TEAM
CANINE

釣り?
釣り銭
なんて
いらない!!

とにかく、
運転手さんも
早くここから
逃げろ!!

CANINE TEAM
ケンヂ……?

もたもたしてちゃダメだ!!
この空港はもうすぐ……

!!

何やってんの、あんた……

ユキジ……

何やってんだとはこっちのセリフだ!!
ここに来るまで、途中、何度も電話入れたんだぞ!!

仕事で大変なことになってて、電話どころじゃなかったのよ。何の用よ?

何の用だと!?心配かけやがって、このやろ……

ま…まあいい……と…とにかく落ち着いて聞け!!
ゼェ
ゼェ
落ち着いてないのはあんたでしょ。

この空港は……

この成田空港がどうしたの。

もうすぐ爆……
ギャアアアアア!!

ガフガフ!!

ブ…ブルー・スリーやめなさい!!
ギャフギャフ!!

うわああ!!
ガルルルル

SIT!!
SIT!!
ブルー・スリー!!

NO!!
ダメ!!
何てこと
すんの!!
ガッ

ひいい……!!

そいつだ!!
えっ?

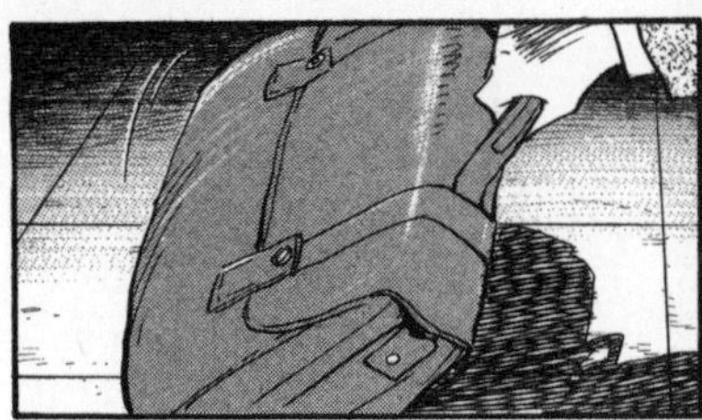

そのバッグの中身……
見せてもらおうか。

……

ケンヂまで何、言ってんのよ。中身は小麦粉よ!!
いや……

バクダンだ。

バク……?

こいつは、〝ともだち〟の一味だ。
え……

こいつらが……いや、俺達がガキの頃考えたこと……
次に何をするか、思い出したんだ……

空港爆破だ!!

そ…そんな……

!!

ケンヂ君は、この中身をバクダンだと言い、
ユキジ君は、怪しい粉だと言う……

何で、あたし達の名前を……

さあ、中身はどっちかな?

おっと、近づかない方がいい。

では、ここで正解をお教えしよう。

ユキジ君が正解。

NE TEAM
!!

だけど、上司に報告するのはやめておいた方がいい。

このご時世、誰も信じない方がいい。

CANINE
……

ところで……
バムッ
じゃあ、バクダンはどこにある……?ということになる。

ど……
どこだ!!

ククク……そろそろかな……
よく思い出してごらんよ。

あの時代……
君らが子供の頃
………
ここ、成田空港は
あったかね?

あ……!!

チヨさん
チヨさん!!
KING
mart
の内デラックス

今、テレビの
速報見たら……
わ…何!?
大繁盛ね、
あんたの店!!

見ての通り、
今、テレビ
どころじゃ
ないんだよ、
どうしたのよ!?

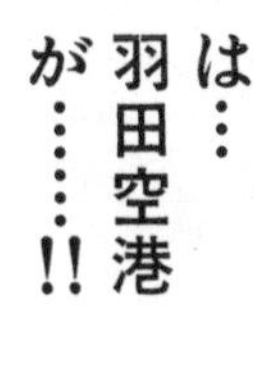
は…
羽田空港
が……!!

ドオー

羽田……

そんなことより
ケンジ君……
こんなところで、油を売っていていいのかね？

……？

早く家に戻らないと……
大変なことになっていると思うんだがね……

お…俺んち……？

みんな、迎えにいってる頃だと思うんだ。
〝ともだち〟の愛娘、カンナちゃんを……

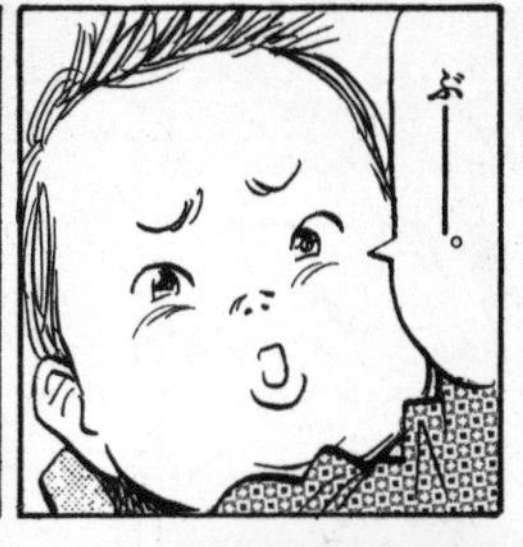
ぶ――。

こんな時間に、何だってこんなに客が……
わかんないよ、あのバカ息子はサボってるしさ!!
ピッ

18

第9話　運命の子

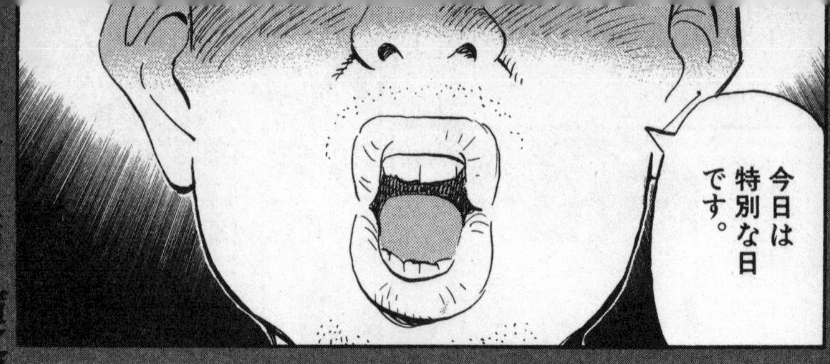
今日は
特別な日
です。

我々の
行動には、
人類の
未来が
懸かって
います。

〝運命の子〟は、
今、悪魔の家に
幽閉されています。
人類の未来を救う
〝運命の子〟を、
我々の力で
取り戻しましょう。
このままでは、
〝運命の子〟は
〝悪魔の子〟に
なってしまいます。
〝ともだち〟の
元へ取り戻し
ましょう。

パチパチパチパチパチパチ
パチパチパチパチパチパチ

ふーーー……
素敵なあいさつだったよ、リーダー。

ぼ…僕には大役すぎるよ。
僕なんかがリーダーで、うまくいくかなあ……

うまくいくって。
は〜〜〜〜……

大丈夫だよ。何かあったら僕がついてる。
僕ら、友達じゃないか。

友達……

ああ、友達だ。
友達……

KING mart
の内デラックス
〝ともだち〟
〝ともだち〟

〝ともだち〟
〝ともだち〟
〝ともだち〟
〝ともだち〟

〝ともだち〟
〝ともだち〟

〝ともだち〟
〝ともだち〟
すごい客の入りだね～～～～。
やったよ。ついにこの店も……
ピッ
Chips

ついに
このコンビニも、
軌道に乗ってきた
かもしんないよ〜〜〜〜!!
第9話
運命の子

こちらのお弁当、温めますか？

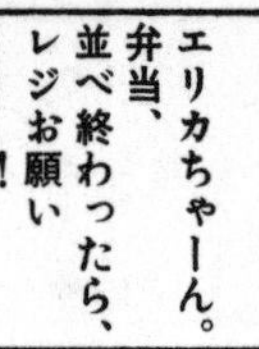
エリカちゃーん。弁当、並べ終わったら、レジお願い——!!

ふあ〜〜〜い。
ていうか、並べる前に売れちゃうしい。

よかったね、チヨさん。長年の苦労が報われる時が来たんだよ。

ああ……父ちゃん死んでからというもの、キリコはカンナおいて行方知れずになっちまうし、
ピッ
息子はバカだし、ろくなことなかったけど……

これからが人生の華かもしれないねえ……
そうだよお。再婚なんてこともあるかもよお!!

バ…バカ言ってんじゃないよ!!
はっはっは!!

あの————……
はい、いらっしゃい!!

あの……
何か……？

かわいい子
ですね。

ちょっと
抱かせて
くれませんか。
あ…いや……
お客様に
抱いていただく
なんて……

泣きだしたら、
ご迷惑おかけ
しますので……
あ……

ちょっと、
そこは
入らないでね。

ウチ、
トイレは貸して
ないのよ……
え？

ちょ…ちょっと
ダメよ、
レジの中入っちゃ。

な…
何？ なに？
ダメだってば。
ねえ、お客さん
ダメ……

かわいい子ですね。
ちょっと抱かせてくれませんか。

な…何なの一体!!
レジから出てくれって言ってんだよ!!

ちょっとだけでいいんです。
ちょっとだけ……

だめだって言ってん……ふが!!

はがあ!!

ふがあ!!
ちょっとだけ……
ちょっとだけ……

運命の子……

運命の子――!!
おおおおお

な…何すんだよ〜〜!!
カンナ返しとくれよ――!!

運命の子――!!
返しなって言ってんだよ!!

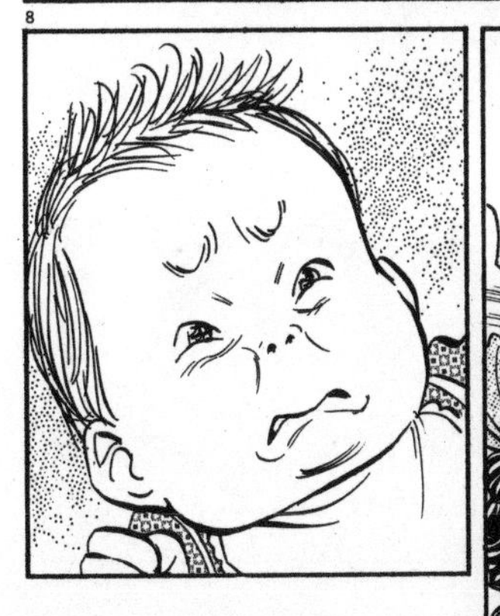

びえええええ!!
ひ……

うえええええ!!
ひ…
ひぃ……

ひいい!!

あ——
カンナ——!!

ひ…!!
びえええ!!

ひいい……

カンナ
返せ——!!
ひい!!

カンナ——!!
ひい!!

ふえ？

あっ、エリカちゃん逃げて!!
ふえ？

ていうか、泣いてるしぃ。
いいから、カンナ抱いたまま外へ走って――!!

ムリムリ。
びええええ!!

早く――!!

ていうか、エリカ走んの遅いしムリだしぃ。

わああ
運命の子!!
運命の子!!

警察に電話!!

もしもし!!
もしもし!!

何の音も
しない
………

もしもし!!

だめだ。
全然つながら
ねえ!!
電話線
切られたんじゃ…?

く……
俺んち
どうなっち
まってるん
だ……!?
カンナ
は………

あ……
何で
戻って
来ちゃった
の!!

ゼェ
ゼェ

ゼェ
ゼェ

ムリ!!
商店街グルっと走ったけどマジ限界!!
ていうか、泣きやんだしい。

後ろ——!!
ふえ?

グルグル
ギッ

な…何なの、こいつら……!!
やだ、も〜〜〜〜〜!!

はっ!!
裏口……

鍵かけたよ!!
でも……!!

こんなとこに閉じ込められて、どうするのさ〜〜〜〜!
い…今に助けが……

酒

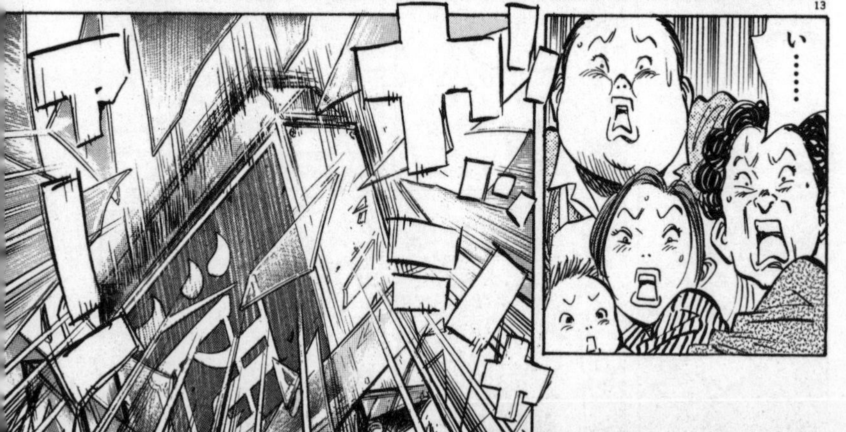
い……

運命の子……
運命の子……
運命の子……

ギャアアアア!!

ひ〜〜〜〜〜!!
カンナ——!!
あ……
カンナ——!!

カンナに
手ぇ出す奴は、
俺が許さねー
!!
だーー
!!
ケンヂ!!
ぬおお
おお!!
運命の子〜〜〜〜。
運命の子〜〜〜〜。
!!

ガルルルルル
言っとくけど、この犬は凶暴だよ!!

おばさん達も早く逃げて!!
ひいいいいい!!

さ――今日は思う存分かみついていいよ、ブルー・スリー!!

ギャウッ
ギャウッ

失敗だ……

失敗だ……
失敗だ……

誰だ……誰の責任だ、リーダー……
!!

誰の責任だ。
………
誰の責任だ。
?
わ!!
僕ら、友達だろ？
シャッ
………!!

ケンヂ——!!
た……
大変!!

お…お店が……!!

!?

KING mart
祝開店 キングマート
1500
周年
げさまで
いや――出足快調じゃないですか!!
これなら、開店1週目の売り上げ目標軽くクリアですよ、店長!!
ありがとうございます!大竹係長のおかげです!!
これで私も、安心して転勤ができるというものです。
えっ、転勤?
札幌です。
本当は、もう少し前に異動のはずだったのですがね。

500店
祝開店 キングマート
何しろ、羽田空港が例の爆弾テロで、未だに使いものにならないでしょ。
あ……それでのびのびに……
おかげで、大竹さんにご尽力いただいた、私の店の開店、見てもらえたわけですね。

そう私の念願は、この商店街にキングマートを何としても根付かせること……

山根さん!!

この街に、キングマートの灯を絶やさないでください!!
はい!!

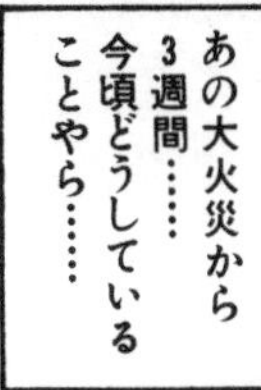

しかしくれぐれも、本当の火だけは出さないように!!

向こうの元3丁目店の店長……
あの大火災から3週間……今頃どうしていることやら……
ええ……
借金の取り立てが厳しいらしくて、行方知れずだそうで……

ゴオ
KING
店長が
言うには、
大勢の暴漢に
襲われて……
その中の一人が、
店内で灯油
かぶって
火が出たって
話ですけど……
警察も消防も、
焼死体は発見
できなかったよう
ですし……
ゴゴゴ
あの店長の
言うこと……
どこまで本当
だか……
第10話
それから…
mart

ガッ
ガッ
ガッ

ガツガツガツ

ケーキおかわり。
やめとけ!!

今、話したのが、ここ数か月ケンジに起きたことのすべてよ……

まさか……
ドンキーの
死が……

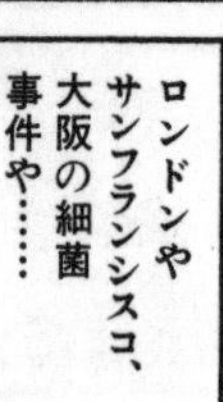
ロンドンや
サンフランシスコ、
大阪の細菌
事件や……

羽田空港
爆破
まで……

みんな、俺達が
あの原っぱの
秘密基地で
話してたことが、
元になってる
なんて……

信じないなら、
それはそれで
いい……
いや……
信じるよ。

ただ……
警察や
政府の中にまで、
その"ともだち"の
一味がいると
なると……

あまりに
話がでかすぎて、
俺らじゃ
どうにも
ならねえや……

何で
ケンヂは、
今まで
俺達に
黙ってたんだ
……？

言い出せなかったんだろ……俺らの今の様子見て……
ガツガツガツ

俺も自分の悩み、相談ばっかりしてたもんな。

実際、俺らには励ますぐらいしかできねえ………
そんなもん、何の足しにもなりゃしねえもんな……

俺達がガキの頃、あの秘密基地で何、話してたか、思い出すことはできるかも……

6

何か思い出せるか。
い…いやあ。

…で、ケンヂは、
今、どこにいるんだ？

誰にも教えるなって言われた……

ガツガツ

は～～～～
もうやだ……

生きている
意味がない……

お母ちゃん。

あ～～～～
死んだ方が
ましだ……
めし食っちゃ
えよ、
お母ちゃん。

は～～～～
だから
コンビニなんかに
しなきゃ
よかったんだ……

前の家が
懐かしいよ……
そりゃあ
ボロ家
だったけどね…

店からあがって
六畳の居間……
その奥が
お勝手……
あ～～～
懐かしい……

上へあがって
子供部屋……
物干し台が
あって……
お母ちゃん、
いいかげんに
しろ。

小さいながらも
庭もあったねえ……
お母ちゃん!!

植えたんだ、
あたし……
あじさい……

きれいな花
咲かしたのに
……

バカ息子が
引っこ抜いち
まって……

俺は
そんなこと
してねえよ。

何、埋めたんだか
知らないけど、
でかい穴掘ってさ。
あたしの
あじさい、
どうしてくれるん
だよ。

引っこ抜いた。
して
ねえって!!

な……
何だって……？

そうじゃねえ。
俺が
何したって……？

あたしの
あじさい、
返しとくれよ。

何か
埋めたって……？

ザ…

俺んち、
こんなに
広かったっけ
………

ガタ

ズザザザ

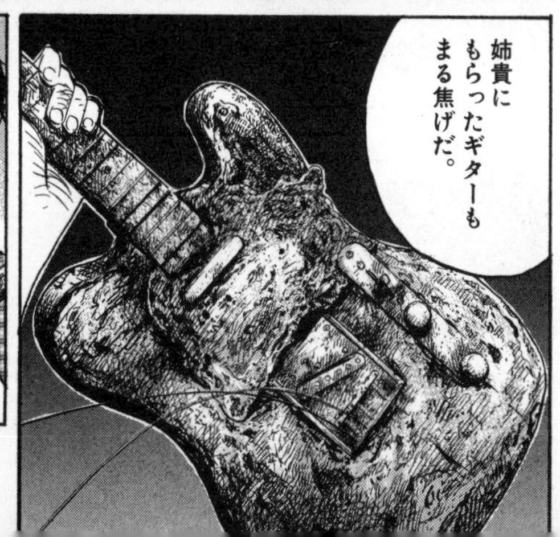

姉貴に
もらったギターも
まる焦げだ。

まるで、
ジミヘンの
ギターだ……

庭……

確か
この辺だ
………

8月7日晴れ
きょうはスイカの
たねをたくさん
にわにまきました。
これで
スイカ
くいほうだいです。
プッ
プッ
プッ

プッ
プッ

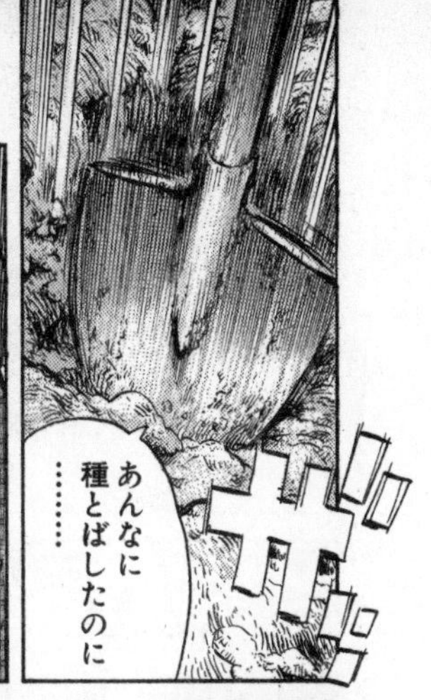

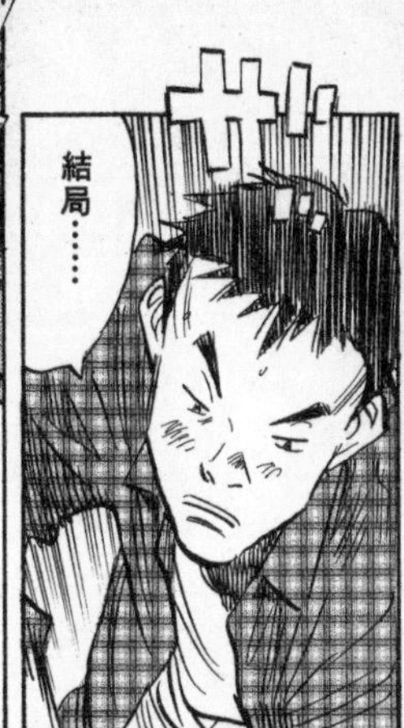

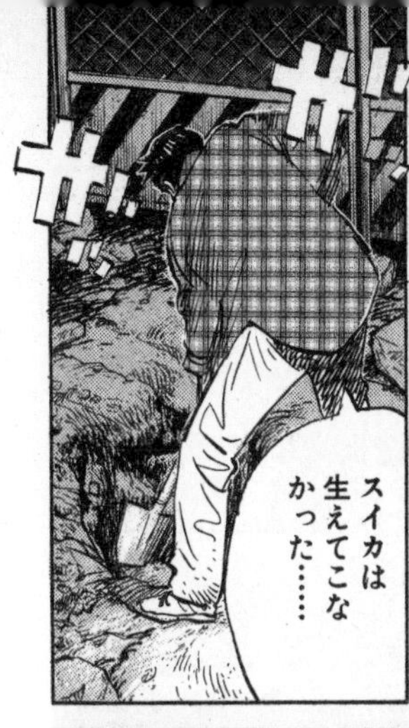

ザッ
ザッ
スイカは
生えてこな
かった……

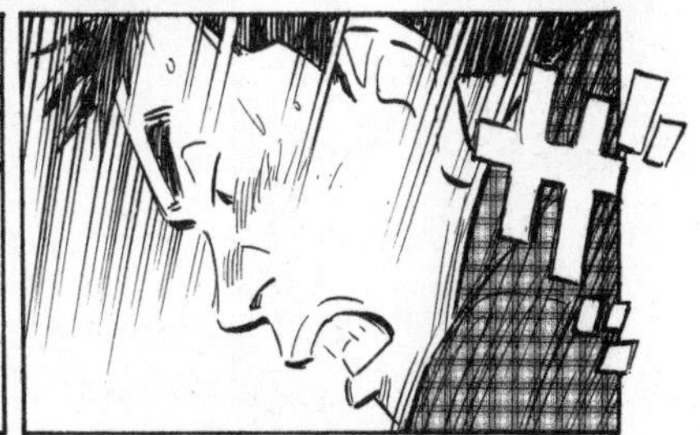

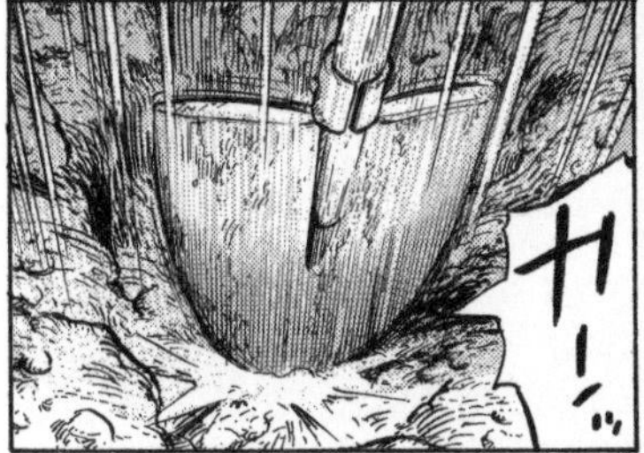

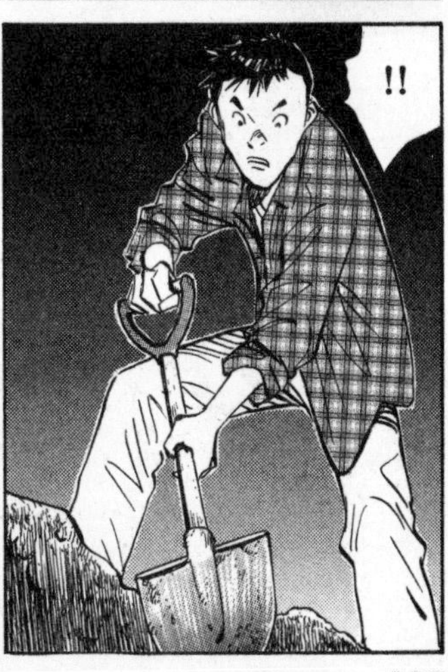

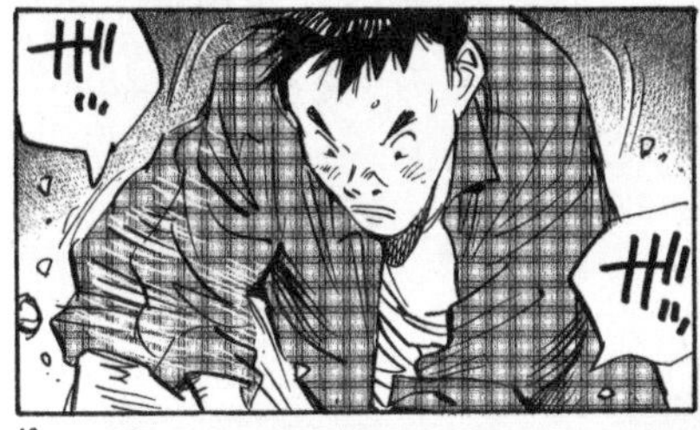

12

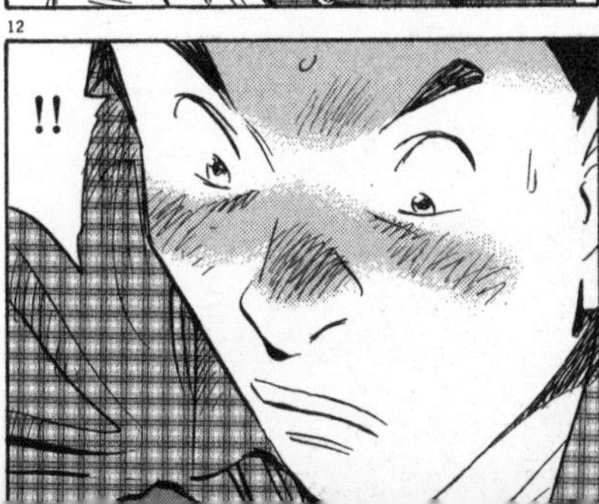

この缶の中に……

各種保険取扱います
ほねつぎ
じいちゃんの家……？
ほねつぎ

そう……おじいちゃん死んでから、この家ほったらかし……

ユキジ、おまえ、
父さん母さんは……

あれ…
知らなかった？
小学校
あがる前に、
二人とも事故で
死んじゃったの……

え……
だから、
ずっとここで
おじいちゃんと
二人暮らし。
ガラ

ケンヂ。
マルオと
ヨシツネ、
連れてきたよ。

14

ケンヂ……？
真っ暗だ。

カチ

ユキジへ……
世話になった。
感謝してる。
ユキジへ
世話になった。
だけど、
これ以上、迷惑は
かけられない。

大丈夫だ、
心配いらない。
その時が来たら
連絡する。
――ケンヂ

心配
その時が
ケ

その時……?

ザ
ザ

ほら、
母ちゃん
歩けよ。
何だよお~~
何だって
急に出ていく
なんて、言い出し
たんだよお。

ケンヂ〜〜〜〜どこ行くんだよお。
ザッ

よお、あんた方も俺らの仲間入りかい？

元気だせ。人間、家なんかなくても何とかなる。
HAWAII

ただ、あんたんとこの店は、期限切れの弁当にありつくいい穴場だったんだがな。
行くぞ、お母ちゃん。

16

焼け跡に行ってみたが、ろくなもん残ってなかったな。

こんなもんしかな……
HAWAII

レーザー銃……

分解して
中身見てみたが、
レーザー銃って
ほどの代物じゃ
ねえな。
だが
必要だろ、
こんなもんでも。

決戦の時の
ためにな。

神様……
あんた……
何で……

わかるんだ、
なぜかな……
俺は神様
じゃねえ
けどよ。

あんた今、
手に持ってる物……
それを見つけたんで、
さっそく
出ていこうって
わけだろ？
ああ…
ガキの頃
庭に埋めたんだ。
これを
見れば、
どう戦えばいいか
わかる……

神様……
俺…
勝てるかな。

わからねえ。
俺は神様じゃ
ねえからな。
ただ……

ボウリングやる時、ガター狙って投げる奴あいない。
ストライク狙って投げなきゃあ始まらねえ。

よげんの書
ザッ
よげんの書

第11話 バンコクの男

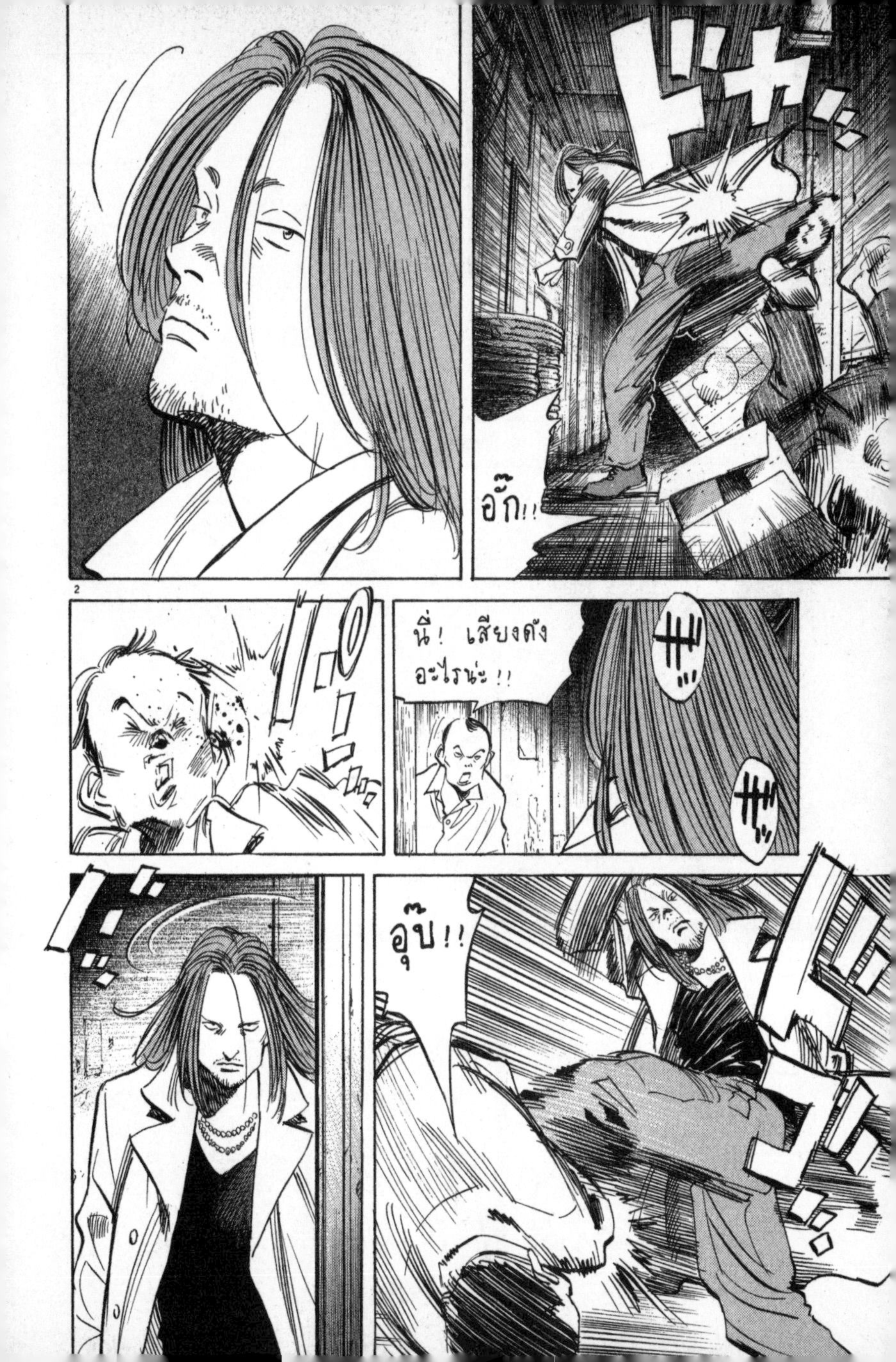
อั๊ก!!
นี่! เสียงดัง
อะไรน่ะ!!
อุ๊บ!!

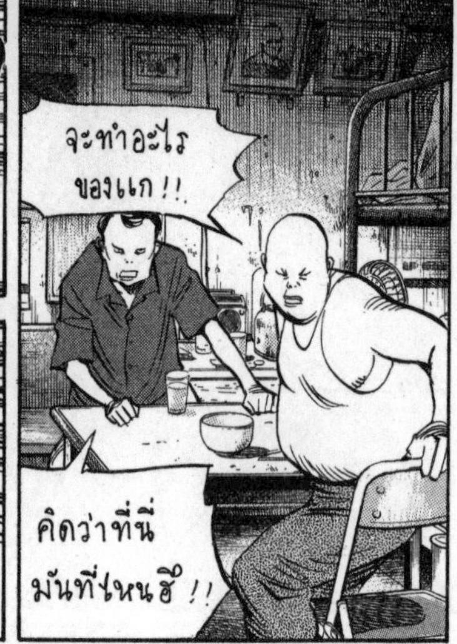

จะทำอะไร
ของแก !!
คิดว่าที่นี่
มันที่ไหนฮึ !!

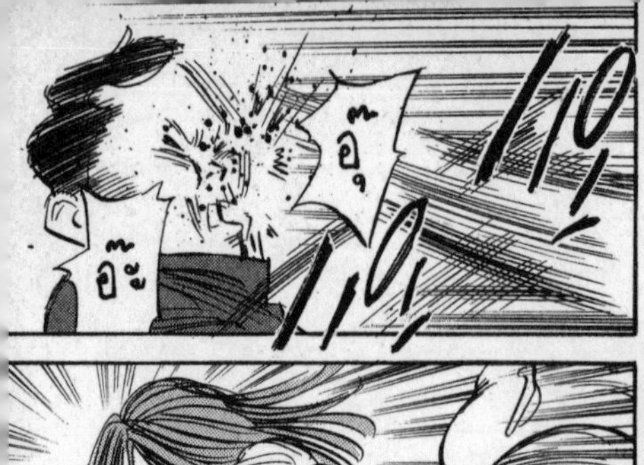

ยาก...!!

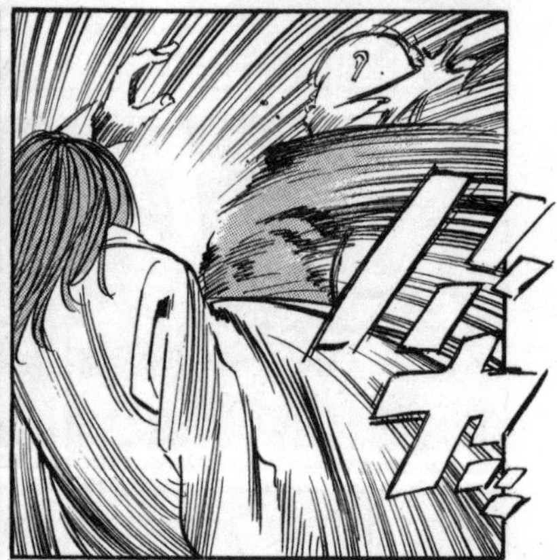

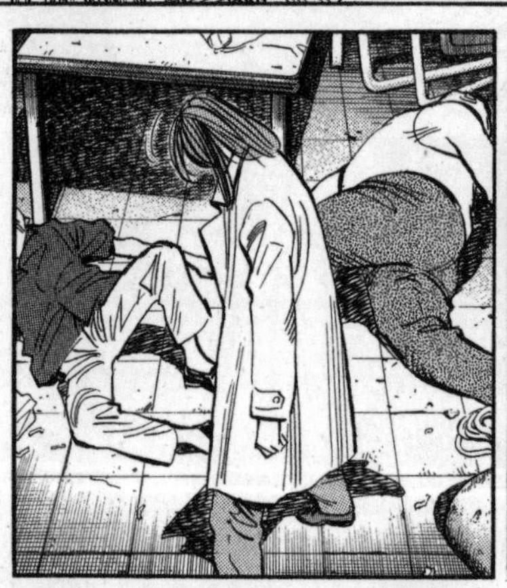

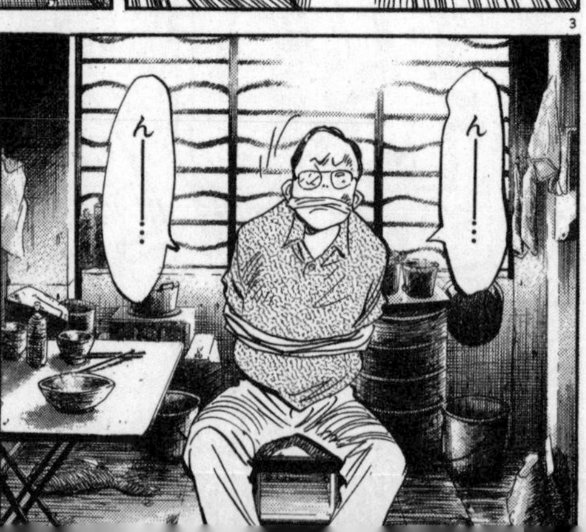

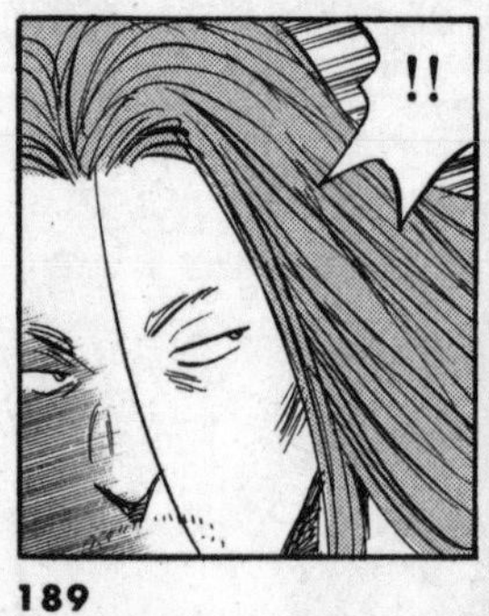

!!
ぐほ!!
ムエタイか……!!

ん——!!
ん——!!

ぷは!!

あ…ありがとう。あなた、命の恩人だ。

グイ
ひ……

いい時計してんじゃねえか。

あ…危なく身ぐるみはがされるとこ……

あ……
チャ

6

โอ๊ะ......

チャッ
โอ๊ย !!

取っとけ。
あ…あたしのロレックス……!!

高価なんだよ、あのロレックス……

さっさと降りろ!!
ドガ
うわあ!!

財布。
は?

財布って言ってんだよ。
あ…ああ、助けてくれた報酬ね。ええと、いくらぐらい……

いいからそれごとよこせ。
HUA HIN
あ…

グイ
あ…あの、その中にはクレジットカードが……

命が助かっただけでもありがたいと思え。
いや、しかし……

!!

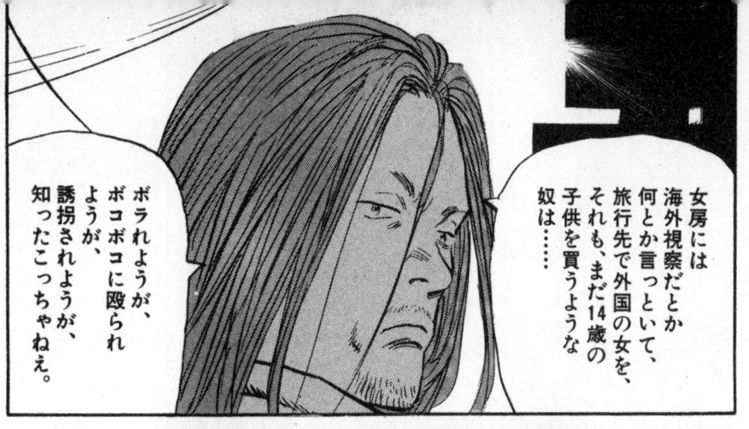
女房には
海外視察だとか
何とか言っといて、
旅行先で外国の女を、
それも、まだ14歳の
子供を買うような
奴は……
ボラれようが、
ボコボコに殴られ
ようが、
誘拐されようが、
知ったこっちゃねえ。

おまえなんか、
死んでも
いい。

……

クレジット
カード、
1週間ほど
止めるな。

イシズカ
さーーん!
!!
ご無事
でしたか…!!
ガイドさんが
呼んで
くれたのか、
あの男。

はい。
お客さんに
何かあったら
あの男に……
少々料金
高いですけど。
え!?
ガイドさんも
お金払ってる
の!?

はい。
お金高くても、
ちゃんと仕事
してくれます。
で…でもさ、
財布も時計も
取られたんじゃ、
暴力バーと
同じじゃないか。
取り戻して
くれよ!!

あの男に
たてつかない
方がいい。
この暑いのに
あのコート……
へ？

体中の傷
隠すため……
噂じゃ、
何人殺したか
わからないって
……
ひ……

日本人
なのか……？
わかりません。

名前も
何もわからない。
国籍も
でも
このあたりの連中は、
あの男を
こう呼んでいます。

ショーグンと……

第11話 バンコクの男

JINA
クラブ
CLUB
タイマッサージ
キリヤマ
花子
クラブ天使
1WAY
バンコク・
タイ――

2000年
夏――

ズズー

おいしい？ショーグン。
ズズー
ショーグンは、バミー(小麦粉麵)よりクイティアオ(米粉麵)の方が好きだって言ってたでしょ。

おいしいクイティアオ探すの、大変だったんだからあ。
ズズー

ではここで質問!!
あたし達ヴィーとイエン、どっちが好き?

ズズー
そりゃあおまえら……

どっちもだよ。
嘘!!

ゴーゴーバーのメイとかいう子に、ずいぶんとよくしてたみたいじゃない。
ブ‥

足洗わせて、故郷に帰したらしいじゃない。

村に置いてきた子供が重病だって言うんだから、しかたないだろ。
あそこのオーナー、怒ってたわよ。
ズズー

あんた見つけしだい殺すって。
当分、逃げまわらなきゃな……

それじゃ、ウチおいでよ。
だめ、ウチに来て!!

ショーグン大変!!

プーがヤクやって、屋上から飛び降りようとしてる!!

CLUB TOKYO
かれん
BIG BOX

あっち行け!!

あたし、死ぬ!!
もういや!!
体売るのなんて
もういや!!

死んで
どうする。

死ねば
楽になる!!
あっち
行け!!

みんな
悲しむぞ。
嘘!!
あたしなんか
死んだって、
誰も
悲しまない!!

故郷には
友達いる。
でも
ここには
友達いない!!

俺と
逆だな。

14

?

俺には、
故郷に
友達なんか
一人もいない。
俺の故郷じゃ、
友達なんて言葉は
何の意味もない。

だが、
ここには
友達がいっぱい
いる。
こんなところ
だからこそな……

あたしも
友達……？

ああ、
友達だ。

あたしが
死んだら、
悲しい……？

ああ……

自分が
死ぬより
悲しい……

TAXI

安いよーー!!
日本の雑誌だ。
新しい本
だよーーー!!

安いよ――
新しい本
だ――!!

DAN DOH!! Xi
からくりサーカス
少年サンデー
か……

……
懐かしいな

高橋留美子
か……
『うる星やつら』
だっけ?

あだち充は、
もう『タッチ』
じゃないよな。
坂田信弘
……?
知らねえな。

……

く……
くく……

くくく……
はいはい、立読み禁止だ。買ってくれよ。
これ。
ん？
まだあるんだ、このマーク。
ははは!!
？

「20世紀少年」第3集―完―

●『週刊ビッグコミックスピリッツ』2000年第18号～第25号、第27号～第30号、第33号掲載作品

20世紀少年 3 —ギターを持った英雄—

ビッグ コミックス

ISBN4-09-185533-4

2000年10月1日初版第1刷発行 (検印廃止)

著者 浦沢直樹

発行者 三宅克

印刷所 凸版印刷株式会社

Printed in Japan

発行所 (〒101-8001)東京都千代田区一ツ橋二の三の一
振替(00180—1—200) TEL 編集03(3230)5505 販売03(3230)5749
株式会社小学館

Y0-AGP-813